JEUNESSE

Né en Angleterre en 1916, dans une famille d'origine norvégienne, Roald Dahl travaille dès 1932 en Afrique pour une compagnie pétrolière. Il est pilote pendant la guerre dans la Royal Air Force. Depuis 1943, il écrit pour les adultes des nouvelles d'humour noir où le suspense est remarquablement ménagé. C'est à l'intention de ses propres enfants qu'il commence à inventer des histoires plus longues et plus souriantes, qu'il publie à partir de 1960, comme *Fantastique maître Renard* ou *James et la grosse pêche*. Dahl est un des rares écrivains actuels qui semblent communiquer naturellement avec des publics d'âges différents.

DANNY
LE CHAMPION
DU MONDE

ROALD DAHL

DANNY
LE CHAMPION
DU MONDE

Traduit de l'anglais
par Jean-Marie Léger

Couverture et illustrations
de Boiry

Stock

© Stock. - Paris, 1972.
© Librairie Générale Française, 1981,
pour les illustrations.

Ce livre est pour toute la famille

PAT

TESSA

THEO

OPHELIA

LUCY

La station-service

J'avais quatre mois à peine lorsque ma mère mourut soudainement, laissant à mon père la tâche de m'élever seul.

Je n'avais ni frères ni sœurs.

C'est pourquoi toute mon enfance, à partir de quatre mois, nous ne fûmes que deux, mon père et moi.

Nous vivions dans une vieille roulotte de gitans derrière la station-service. La station, la roulotte et le pré qui s'étendait derrière appartenaient à mon père, qui ne possédait rien d'autre au monde. C'était une petite station-service, plantée au bord d'une petite route de campagne et entourée de champs et de collines boisées.

Lorsque j'étais encore bébé, c'était mon père qui me lavait, me nourrissait, changeait mes langes et faisait les milliers d'autres choses que les mères font d'habitude pour leurs petits. Ce n'est pas facile pour un homme, surtout quand il doit en même temps gagner sa vie à réparer les moteurs et à servir de l'essence aux clients.

Mais je n'ai jamais entendu mon père se plaindre. Je crois qu'il reportait sur moi tout l'amour qu'il avait eu pour ma mère de son vivant. Durant les premières années de ma vie, jamais je ne connus le moindre chagrin ni la moindre maladie.

A cinq ans, j'étais un petit souillon tout couvert de cambouis et d'huile de vidange, car je passais toutes mes journées dans l'atelier, où j'aidais mon père dans ses réparations.

La station-service proprement dite ne comptait que deux pompes et, derrière, une cabane en bois en guise de bureau. Celui-ci ne contenait qu'une vieille table et un tiroir-caisse dans lequel nous déposions l'argent. C'était une de ces caisses dont le tiroir jaillissait avec fracas quand on appuyait sur un certain bouton. Je me souviens que cela avait le don de m'amuser prodigieusement.

A droite du bureau, il y avait un bâtiment carré en brique : c'était l'atelier. Mon père l'avait bâti avec amour de ses propres mains, c'était d'ailleurs la seule construction en dur de notre domaine.

«Toi et moi, nous sommes des mécaniciens, avait-il coutume de dire. Nous gagnons notre vie en réparant des moteurs et nous ne pouvons pas faire de bon travail dans un mauvais atelier. »

C'était un bel atelier, assez vaste pour recevoir une automobile tout en laissant suffisamment de place autour pour travailler à l'aise. Il y avait un téléphone qui permettait de prendre les rendez-vous des clients qui voulaient faire réparer leur voiture.

La roulotte était notre foyer. C'était une vieille et authentique roulotte de gitans avec de grandes roues et de jolis dessins jaunes, rouges et bleus partout. Mon père prétendait qu'elle avait plus de cent cinquante ans. Il disait que beaucoup de petits gitans étaient nés et avaient grandi entre ses cloisons de bois. Tirée par un cheval, la vieille roulotte avait dû parcourir des milliers de kilomètres sur les routes et les chemins d'Angleterre. Maintenant, ses tribulations étaient finies et, comme les rais en bois de ses roues commençaient à pourrir, mon père l'avait calée par-dessous avec des briques.

La roulotte ne comportait qu'une seule pièce, guère plus grande que la salle de bain d'une maison moderne. La pièce était étroite et avait la forme de la roulotte elle-même. Au fond, il y avait deux couchettes superposées : mon père couchait en haut, moi en bas.

Bien que l'atelier fût pourvu de l'électricité, nous n'avions pas été autorisés à l'installer dans la roulotte. Les gens de la compagnie d'électricité avaient dit qu'il était dangereux d'amener des fils dans un vieux truc aussi délabré. Nous nous chauffions et nous éclairions donc à peu près comme les gitans avaient dû le faire par le passé. Pour nous tenir chaud en hiver, nous avions un poêle à bois, dont le tuyau traversait le toit. Nous faisions chauffer notre eau et cuisinions sur un réchaud à pétrole et une lampe tempête accrochée au plafond assurait l'éclairage.

Pour me laver, mon père faisait chauffer une bouilloire d'eau qu'il versait dans une bassine, puis il me déshabillait et me lavait debout dans la bassine. De cette façon, j'étais aussi propre, je pense, que si j'avais pris un bain dans une baignoire — plus propre sans doute, car je ne marinais pas dans mon propre jus.

En guise de mobilier, nous avions deux chaises et une petite table, qui, à l'exception d'une petite commode, constituaient les seuls éléments de confort de notre logis. C'était d'ailleurs bien suffisant.

Les toilettes étaient dans une petite cabane rigolote qui s'élevait dans le pré, loin derrière la roulotte. C'était très bien en été, mais je vous assure que par les jours neigeux d'hiver on avait l'impression d'être assis dans une glacière.

Tout contre l'arrière de la roulotte, il y avait un vieux pommier. Il donnait de beaux fruits, qui mûrissaient vers la mi-septembre. Leur cueillette pouvait s'étaler sur quatre ou cinq semaines. Certaines des grosses branches de l'arbre surplombaient la roulotte et quand, en pleine nuit, le vent détachait les pommes, celles-ci s'abattaient souvent sur le toit. Je les entendais tomber avec un bruit sourd au-dessus de ma tête lorsque j'étais couché, mais je n'avais pas peur car je savais exactement ce que c'était.

J'aimais beaucoup vivre dans notre roulotte de bohémiens. J'aimais surtout ça le soir, quand j'étais bordé dans ma couchette et que mon père me racontait des histoires. La lampe à pétrole baissée, je voyais les petites bûches de bois rougeoyer dans le vieux poêle et c'était merveilleux d'être dans cette petite pièce, étendu sur ma couchette. Le plus merveilleux c'était la certitude que lorsque je m'endormirais, mon père demeurerait là, tout près de moi, assis sur sa chaise au coin du feu ou allongé sur l'autre couchette.

Le Grand Gentil Géant

Mon père était, sans l'ombre d'un doute, le plus merveilleux et le plus épatant des pères dont un petit garçon pût rêver.

Pour ceux qui ne le connaissaient pas, il pouvait paraître sérieux et même austère. Ce n'était guère le cas, je peux vous dire que c'était quelqu'un de follement gai. Ce qui lui donnait cet air sérieux, c'était qu'il ne souriait jamais avec la bouche. Il ne souriait qu'avec les yeux. Il avait des yeux bleus et brillants et, lorsqu'il pensait à quelque chose de drôle, une lueur s'allumait dans son regard. En regardant bien, on pouvait apercevoir une minuscule étincelle d'or au milieu de chaque prunelle. Sa bouche, en revanche, demeurait toujours immobile.

J'étais très heureux que mon père fût une de ces personnes qui sourient avec leurs yeux. Cela signifiait, en effet, qu'il ne souriait que lorsqu'il en avait réellement envie, car il est impossible d'avoir cette étincelle dans l'œil quand on n'est pas vraiment content. Les sourires qu'on fait avec la bouche, c'est différent. Il est très facile de sourire avec la bouche : il suffit d'un mouvement des lèvres. Je me suis aperçu qu'un sourire sincère de la bouche s'accompagne toujours d'un sourire des yeux. Alors faites bien attention : si quelqu'un vous sourit avec la bouche et s'il n'a pas d'étincelle dans les yeux, vous pouvez être sûr que ce n'est pas sincère.

Mon père n'était pas ce qu'on appelle un homme instruit. Il n'avait sans doute pas lu vingt livres dans toute son existence, mais c'était un conteur merveilleux. Il m'inventait une histoire différente chaque soir et les meilleures d'entre elles devenaient de véritables feuilletons, qui revenaient plusieurs soirs de suite.

L'une d'elles, qui dut avoir cinquante épisodes au moins, avait pour héros un personnage gigantesque appelé le Grand Gentil Géant, que nous désignions par ses initiales car c'était plus commode. Le G.G.G. était trois fois plus grand qu'un homme normal et ses mains étaient larges comme des brouettes. Il vivait dans une vaste caverne souterraine proche de notre station-service. Dans cette caverne, dont il ne sortait que la nuit, il y avait une fabrique de poudre magique. Le G.G.G. y fabriquait cent sortes de poudres différentes.

De temps en temps, lorsqu'il racontait ses histoires, mon père se mettait à arpenter la roulotte en faisant des moulinets avec les bras et en agitant les doigts. La plupart du temps, cependant, il restait assis sur le bord de ma couchette, et me parlait d'une voix très douce.

« Le Grand Gentil Géant fabrique ses poudres avec les rêves des enfants, disait-il.

— Comment ? demandais-je. Dis-moi comment il fait, papa.

— Les rêves, mon chéri, sont des choses très mystérieuses. Ils flottent dans la nuit comme de petits nuages, à la recherche de gens qui dorment.

— On peut les voir ? demandais-je.

— Personne ne le peut.

— Alors comment le Grand Gentil Géant peut-il les attraper ?

— Ah ! disait mon père, c'est ça qui est intéressant. Un rêve, vois-tu, produit, quand il dérive dans la nuit, un bourdonnement léger, si léger que les gens ordinaires ne peuvent pas le percevoir. Mais le G.G.G., lui, l'entend. Il a une ouïe fantastique. »

J'aimais l'intensité qui se lisait sur le visage de mon père lorsqu'il me racontait une histoire. Son visage était pâle, figé, distant, et il devenait indifférent à ce qui se passait autour de lui.

« Le G.G.G., disait-il, peut entendre une coccinelle marchant sur une feuille. Il peut entendre le murmure des fourmis qui s'affairent sur le sol en parlant entre elles. Il peut entendre le cri de douleur strident que l'arbre pousse lorsque la cognée du bûcheron s'abat sur lui. Eh oui, mon chéri, il y a autour de nous un univers de sons que nous sommes incapables de percevoir, car nos oreilles ne sont pas assez sensibles.

— Que fait-il une fois qu'il a capturé les rêves ? lui demandais-je.

— Il les enferme dans des flacons de verre dont il revisse soigneusement le bouchon, répondait mon père. Il conserve des milliers de ces flacons dans sa caverne.

— Est-ce qu'il capture aussi les cauchemars ?

— Oui, répondait mon père. Il capture les bons et les mauvais rêves. Mais il ne se sert que des bons rêves pour la fabrication de ses poudres.

— Que fait-il des mauvais rêves ?

— Il les fait exploser. »

Je ne saurais vous dire à quel point j'aimais mon père. Quand il était assis près de moi sur ma couchette, je tendais une main que je glissais dans la sienne, dont les longs doigts se refermaient sur la mienne et la serraient fort.

« Que fait le G.G.G. avec les poudres qu'il fabrique ? demandais-je.

— Au plus profond de la nuit, expliquait mon père, il parcourt les rues du village, à la recherche de maisons où dorment les enfants. Comme il est très grand, il peut atteindre les fenêtres des deuxième et troisième étages et, quand il trouve une chambre où dort un enfant, il ouvre sa valise...

— Sa valise ? m'étonnais-je.

— Le G.G.G. emporte toujours une valise et une sarbacane, disait mon père. Sa sarbacane est longue comme un réverbère. Sa valise contient les poudres. Il l'ouvre, choisit avec précision la poudre qui convient, puis il la met dans la sarbacane. qu'il glisse par la fenêtre ouverte et — pouf ! — il souffle. La poudre se met à flotter dans la chambre et l'enfant l'absorbe en respirant.

— Et alors ? demandais-je.

— Alors, Danny, l'enfant fait un rêve merveilleux et fantastique. Au moment où le rêve devient le plus

Le G.G.G. emporte toujours une valise.

merveilleux et le plus fantastique, la poudre magique
agit et le rêve n'est plus un rêve, mais la réalité. L'enfant n'est plus endormi dans son lit, mais à l'endroit dont il rêvait et où il fait ce qu'il faisait en

rêve. Je t'en dirai plus demain. Il se fait tard. Bonne nuit, Danny. Dors, maintenant. »

Mon père m'embrassait, puis il baissait la mèche de la lampe à pétrole pour l'éteindre. Il s'asseyait alors devant le poêle à bois, qui projetait une belle lueur rouge dans toute la pièce.

« Papa, murmurais-je.

— Qu'y a-t-il ?

— Tu l'as déjà vu, le Grand Gentil Géant ?

— Une fois, me disait mon père. Une seule fois.

— C'est vrai ? Où ça ?

— Une nuit de pleine lune, que j'étais derrière la roulotte, disait mon père, j'ai levé les yeux par hasard et j'ai vu une personne extraordinairement grande courir sur la crête des collines. Elle avait une étrange démarche bondissante et son grand manteau flottait derrière elle comme les ailes d'un oiseau. Le géant avait une énorme valise dans une main et une sarbacane dans l'autre. Quand il est arrivé à la haie d'aubépine au bout du champ, il est passé par-dessus comme si elle n'avait pas existé.

— Tu as eu peur, papa ?

— Non, répondait mon père. C'était un spectacle impressionnant, peut-être un peu effrayant, mais je n'ai pas eu peur. Dors maintenant. Bonne nuit. »

Voitures,
cerfs-volants
et montgolfières

Mon père était un bon mécanicien. Des gens qui vivaient à des kilomètres de la station lui amenaient leur voiture plutôt que de la confier à un garage plus proche. Mon père adorait les moteurs.

«Un moteur à essence, c'est de la magie pure, m'avait-il dit un jour. Imagine ces milliers de pièces de métal assemblées d'une certaine façon. Il suffit d'un peu d'huile et d'essence, d'un tour de clef et elles se mettent toutes à vivre. Elles ronronnent, rugissent et font tourner les roues d'une voiture à des vitesses fantastiques.»

Il était inévitable que je tombe, à mon tour, amoureux des moteurs et des voitures. N'oubliez pas que je jouais dans l'atelier avant même de savoir marcher. C'était le seul endroit où mon père pouvait avoir l'œil sur moi toute la journée. Mes jouets étaient les cames, les ressorts et les pistons pleins de cambouis qui traînaient partout dans l'atelier. Je peux vous garantir que c'étaient de meilleurs jouets que la camelote en plastique qu'on donne aux enfants de nos jours.

Je suis donc devenu apprenti mécanicien dès ma naissance, pour ainsi dire.

Lorsque j'eus cinq ans. le problème de l'école se posa. La loi voulait que les enfants soient scolarisés dès l'âge de cinq ans et mon père ne l'ignorait pas.

Nous étions dans l'atelier, le jour de mon cinquième anniversaire, quand mon père commença à parler de l'école. J'étais en train de l'aider à changer les plaquettes de frein arrière d'une grosse Ford lorsqu'il me dit soudain :

« Tu veux que je te dise, Danny ? Tu es sans doute le meilleur mécanicien de cinq ans au monde. »

C'était le plus grand compliment qu'il m'eût jamais fait et j'en éprouvai une grande fierté.

« Tu aimes ce travail, n'est-ce pas ? me demanda-t-il. Tu aimes bien bricoler les moteurs, hein ?

— J'adore ça », répondis-je.

Il se tourna vers moi, me posa délicatement une main sur l'épaule et me dit :

« Je vais faire de toi un bon mécanicien. Et quand tu seras grand, j'espère que tu deviendras un grand ingénieur et que tu créeras des moteurs d'autos et d'avions encore meilleurs. Pour cela, ajouta-t-il, il te faudra une instruction solide. Toutefois, je ne veux pas que tu entres encore à l'école. Dans deux ans, tu en sauras assez pour démonter et remonter seul un petit moteur. Alors, tu pourras aller à l'école. »

Vous pensez sans doute que mon père était fou de vouloir faire un mécanicien chevronné d'un jeune

Tu es sans doute le meilleur mécanicien de cinq ans.

enfant. Eh bien, il n'était pas si fou que cela. J'apprenais vite et j'adorais ce que je faisais. Par bonheur, personne ne vint jamais frapper à notre porte et demander pourquoi je n'allais pas à l'école.

Deux années s'écoulèrent donc et, à l'âge de sept ans, je fus effectivement capable de démonter complètement et de remonter seul un petit moteur (pistons, vilebrequin et tout). Le moment était venu d'entrer à l'école.

Mon père m'inscrivit à l'école du village le plus proche, situé à trois kilomètres de la station-service. Nous ne possédions pas de voiture, car nous n'en avions pas les moyens. Mais comme le trajet à pied ne prenait guère plus d'une demi-heure, cela m'était égal. Mon père m'accompagnait toujours. Il avait insisté. Quand je sortais à quatre heures, il m'attendait toujours devant l'école et nous rentrions ensemble.

La vie s'écoulait ainsi. Le monde dans lequel je vivais se bornait à la station-service, l'atelier, la roulotte, l'école et, bien entendu, les bois, les prés et les ruisseaux de la campagne environnante. Pourtant, je ne m'ennuyais jamais. On ne s'ennuyait guère en compagnie de mon père. Il avait trop de vitalité pour cela. Les plans et les projets fusaient de lui comme les étincelles d'une meule à aiguiser.

« Il y a un bon vent aujourd'hui, dit-il un certain samedi matin. C'est le temps idéal pour faire voler un cerf-volant. Allons en fabriquer un, Danny. »

Nous construisîmes donc un cerf-volant. Il me montra comment assembler quatre baguettes fines en forme d'étoile, avec deux autres baguettes en travers pour les renforcer. Puis nous découpâmes une de ses vieilles chemises que nous étirâmes sur le cadre du cerf-volant. Nous ajoutâmes à celui-ci une longue queue de fil, à laquelle nous avions noué à intervalles réguliers des restes de la chemise. Nous dénichâmes une pelote de ficelle dans l'atelier et mon père m'apprit à attacher celle-ci au cadre pour que le cerf-volant soit bien équilibré en vol.

Ensemble, nous escaladâmes la colline qui se trouvait derrière la station pour y lancer notre cerf-volant. J'avais du mal à croire que cet objet, fait de quelques baguettes de bois et d'un vieux pan de chemise, volerait vraiment. Je tenais la ficelle et mon père le cerf-volant. Dès qu'il le lâcha, celui-ci prit le vent et s'élança dans le ciel, comme un gigantesque oiseau bleu.

« Lâche-lui de la ficelle, Danny ! cria mon père. Lâche-lui autant de ficelle que tu voudras ! »

Le cerf-volant grimpa de plus en plus haut. Bientôt, il ne fut plus qu'un petit point bleu dansant dans le ciel à des kilomètres au-dessus de ma tête. C'était palpitant de tenir au bout d'une ficelle quelque chose de tellement lointain et de tellement vivant. Cette chose lointaine tirait et se débattait comme un gros poisson au bout d'une ligne.

« Descendons-le jusqu'à la roulotte », proposa mon père.

Le cerf-volant continua à tirer furieusement à l'autre bout de la ficelle tandis que nous redescendions la colline. Lorsque nous atteignîmes la roulotte, nous prîmes soin de ne pas laisser la ficelle se prendre dans le pommier et nous pûmes contourner la roulotte jusqu'aux marches de devant.

« Attache-le aux marches, dit mon père.

— Est-ce qu'il continuera à voler ? lui demandai-je.

— Si le vent ne tombe pas », dit-il.

Le vent tint et laissez-moi vous dire quelque chose d'étonnant : le cerf-volant demeura en l'air toute la nuit et le matin suivant, à l'heure du petit déjeuner, le petit point bleu dansait et se balançait toujours dans le ciel. Après avoir pris mon petit déjeuner, je le descendis et le pendis soigneusement contre un mur de l'atelier pour une autre occasion.

Peu de temps après — c'était par une belle soirée sans un souffle de vent — mon père me dit :

« Voilà un temps idéal pour un lâcher de montgolfière. Allons en fabriquer une. »

Il avait dû prévoir son coup à l'avance, car il avait déjà acheté quatre grandes feuilles de papier de soie et un pot de colle chez M. Witton, le libraire du village. Avec seulement du papier, de la colle, une paire de ciseaux et un petit bout de fil de fer fin, il fabriqua une grande et magnifique montgolfière en moins de quinze minutes. Dans le trou du fond, il attacha pour finir une boule d'ouate.

La nuit tombait lorsque nous transportâmes notre montgolfière dans le champ derrière la roulotte. Nous avions emporté une bouteille d'alcool à brûler et des allumettes. Je fus chargé de maintenir la montgolfière tandis que mon père s'accroupissait dessous et versait un peu d'alcool sur la boule d'ouate.

« Attention ! dit-il en mettant le feu à la boule d'ouate avec une allumette. Écarte les flancs du ballon autant que possible, Danny ! »

Une grande flamme jaune jaillit de la boule d'ouate et s'engouffra dans le ballon.

« Il va prendre feu ! m'écriai-je.

— Ne crains rien, me rassura-t-il. Regarde ! »

A nous deux, nous écartions les flancs du ballon afin que la flamme ne les touchât pas. Mais bientôt le ballon se remplit d'air chaud et le danger passa.

« Elle est presque prête ! s'exclama mon père. Tu sens comme elle flotte ?

— Oui ! m'exclamai-je à mon tour. Oui ! On la lâche ?

— Pas encore ! Il faut attendre encore un peu !... Il faut qu'elle se mette à tirer pour s'envoler !

— Ça y est, elle tire ! dis-je.

« — Très bien ! cria-t-il. Lâche-la ! »

Lentement, notre merveilleuse montgolfière s'éleva avec majesté et en silence dans la nuit.

« Elle vole ! m'écriai-je en claquant des mains et en sautant sur place. Elle vole ! Elle vole ! »

Mon père était en proie à une agitation presque aussi grande que la mienne.

« Elle est superbe, dit-il. Cette montgolfière est vraiment réussie. On n'est jamais sûr qu'elles voleront avant de les avoir essayées. Il n'y en a pas deux pareilles. »

La montgolfière s'élevait maintenant de plus en plus vite dans l'air frais de la nuit. C'était comme une boule de feu magique dans le ciel.

« Est-ce que d'autres personnes vont la voir ? demandai-je.

— Tu peux en être sûr, Danny. Elle est tellement haute à présent qu'on doit la voir à des kilomètres à la ronde.

— Que vont penser les gens, papa ?

— Que c'est une soucoupe volante, dit mon père. Ils appelleront sans doute la police. »

Une légère brise poussait la montgolfière vers le village.

« Suivons-la, dit mon père. Avec un peu de chance, nous pourrons la récupérer quand elle redescendra. »

Nous rejoignîmes la route et la suivîmes un moment en courant.

« Elle redescend ! s'écria mon père. La flamme est presque éteinte ! »

Nous la perdîmes de vue lorsque la flamme s'éteignit tout à fait, mais nous savions à peu près dans quel champ elle atterrirait. Nous y courûmes après avoir enjambé une barrière. Une heure durant nous la cherchâmes sans succès dans le champ.

Le lendemain matin, je retournai seul au champ poursuivre les recherches. Il me fallut inspecter quatre grands prés avant de la découvrir. Elle avait atterri au coin d'une pâture pleine de vaches noires et blanches, qui s'étaient regroupées autour d'elle et la contemplaient de leurs grands yeux humides. Elle était intacte, aussi la ramenai-je chez nous, où je l'accrochai près du cerf-volant pour une autre occasion.

« Tu peux aller faire voler ton cerf-volant tout seul quand tu voudras, me dit mon père. Mais n'essaie jamais de faire voler ta montgolfière si je ne suis pas là. C'est extrêmement dangereux.

— Très bien, répondis-je.

— Promets-le-moi.

— Je te le promets. »

Un autre jour, nous construisîmes une maison en bois dans le grand chêne au bout de notre pré.

Un autre jour encore, nous confectionnâmes un arc avec un jeune frêne d'un mètre vingt et des plumes de perdrix et de faisan pour l'empennage des flèches.

Un autre jour encore, une paire d'échasses sur lesquelles je mesurais trois mètres de haut.

Puis ce fut un boomerang qui revenait tomber à mes pieds presque à chaque fois que je le lançais.

Enfin, pour mon dernier anniversaire, j'eus droit à quelque chose de plus amusant que tout le reste. Deux jours durant, mon père m'interdit d'entrer dans l'atelier, car il travaillait à quelque chose de secret.

Le matin de mon anniversaire, il ouvrit l'atelier sur une machine stupéfiante faite de quatre roues de bicyclette et de quelques caisses à savon. Ce n'était pas un bolide quelconque. Celui-là avait une pédale de frein, un volant, un siège confortable et un solide pare-chocs à l'avant pour résister aux collisions. Je le baptisai « Savonnette » et tous les jours, ou presque, je le tirais au sommet de la colline derrière la station pour la dévaler ensuite à des vitesses folles en sautant par-dessus les bosses comme sur un cheval sauvage.

Comme vous pouvez le constater, avoir huit ans et vivre avec mon père était loin d'être triste. J'étais néanmoins impatient d'avoir neuf ans. Je me disais qu'on devait s'amuser encore plus quand on avait neuf ans.

Mes suppositions ne se révélèrent pas tout à fait exactes.

Ma neuvième année fut sans conteste la plus *passionnante* de toutes celles que j'avais vécues jusque-là, mais on ne peut pas dire que je me sois amusé d'un bout à l'autre.

Le grand
et troublant secret
de mon père

En grandissant, vous vous apercevrez, comme moi cet automne, qu'aucun père n'est parfait. Les adultes sont des gens compliqués pleins de travers et de secrets. Chez certains, les secrets et les travers sont plus grands que chez d'autres, mais tous, vos parents y compris, ont une ou deux mauvaises marottes cachées qui vous étonneraient bien si elles vous étaient révélées.

Le reste de ce livre traite d'une habitude très secrète de mon père et des aventures dans lesquelles elle nous entraîna.

Tout a commencé un certain samedi soir, le premier du mois de septembre. Mon père et moi avions dîné dans notre roulotte aux environs de six heures comme à l'accoutumée. Je m'étais ensuite couché et mon père m'avait raconté une belle histoire et m'avait embrassé avant que je ne m'endorme.

Sans raison particulière, je me réveillai pendant la nuit. J'eus beau prêter l'oreille, je ne parvins pas à entendre la respiration de mon père sur la couchette supérieure. J'en conclus aussitôt qu'il n'était pas là. Sans doute était-il retourné à l'atelier finir une réparation. Il faisait souvent ça après m'avoir bordé.

J'essayai alors de repérer les bruits familiers des pièces de métal s'entrechoquant ou des coups de marteau, qui me rassuraient les autres nuits, car ils me disaient que mon père était près de moi.

Cette nuit-là pourtant, aucun bruit ne me parvint de l'atelier. La station-service était silencieuse.

Je quittai ma couchette et trouvai près de l'évier une boîte d'allumettes. J'en allumai une et l'approchai de l'étonnante vieille pendule accrochée à la cloison de la roulotte, juste au-dessus de la bouilloire. Il était onze heures dix.

J'ouvris la porte et appelai doucement :

« Papa ? Papa, tu es là ? »

Pas de réponse.

La porte de la roulotte donnait sur une petite plate-forme de bois située à environ un mètre vingt du sol. Je m'avançai sur ce plateau et tentai de percer les ténèbres autour de moi.

« Papa! m'écriai-je. Où es-tu ? »

Toujours pas de réponse.

En pyjama et les pieds nus, je descendis les marches de la roulotte et allai jusqu'à l'atelier, où j'allumai la lumière. La vieille voiture sur laquelle nous avions travaillé toute la journée était là, mais pas mon père.

Il n'était pas allé faire un tour en voiture, car,

comme j'ai déjà eu l'occasion de vous le dire, il ne possédait pas d'auto. De toute façon, ce n'était pas son genre de partir la nuit en me laissant seul à la station.

Il a dû avoir un étourdissement, dû à une mauvaise maladie quelconque, et il s'est cogné la tête en tombant, pensai-je.

J'allais avoir besoin de lumière, si je voulais le retrouver. Je m'emparai donc de la torche qui se trouvait sur l'établi.

Je commençai par regarder à l'intérieur du bureau, puis je cherchai autour et derrière l'atelier.

Je partis en courant à travers champs jusqu'aux toilettes. Elles étaient vides.

« Papa ! criai-je dans la nuit. Papa ! Où es-tu ? »

Je regagnai la roulotte au pas de course et dirigeai le faisceau de la torche vers la couchette supérieure pour m'assurer qu'elle était bien vide.

Elle l'était.

Dans la roulotte plongée dans l'obscurité, je sentis pour la première fois de ma vie un vague sentiment de panique me gagner. La première ferme était à plusieurs centaines de mètres de la station. Je jetai la couverture de ma couchette sur mes épaules, sortis de la roulotte et m'installai sur la plate-forme, les pieds posés sur la dernière marche de l'escalier. La lune était nouvelle et, de l'autre côté de la route, la grande prairie déserte était blafarde sous le ciel. Il régnait sur tout cela un silence de mort.

J'ignore combien de temps je restai là. Une heure, peut-être deux. En tout cas, je ne fermai pas les yeux une seconde. Je ne voulais pas relâcher mon attention. Je me disais qu'en tendant l'oreille je parviendrais peut-être à percevoir un bruit qui m'indiquerait où se trouvait mon père.

Et puis, enfin, j'entendis au loin un faible bruit de pas sur la route.

Les pas se rapprochaient.

Tac... tac... tac... tac...

Etait-ce lui ? Etait-ce quelqu'un d'autre ?

Je me tins coi, les yeux rivés sur la route. Malgré la lune, je ne voyais pas bien loin, car la route disparaissait graduellement dans la nuit brumeuse.

Tac... tac... tac... tac... Les pas se rapprochaient de plus en plus.

Une silhouette émergea tout à coup du brouillard. C'était lui !

Je dévalai l'escalier et courus à sa rencontre.

« Danny ! s'écria-t-il. Que se passe-t-il ?

— J'ai cru qu'il t'était arrivé quelque chose d'horrible », dis-je.

Il me prit par la main et nous regagnâmes en silence la roulotte, où il me borda à nouveau dans ma couchette.

« Je suis désolé, me dit-il. Je n'aurais jamais dû faire ça. Mais tu ne te réveilles jamais d'habitude, n'est-ce pas ?

— Où es-tu allé, papa ?

— Tu dois être épuisé, dit-il.

— Pas du tout. On peut allumer la lampe un petit moment ? »

Mon père approcha une allumette de la mèche et la petite flamme jaune jaillit, emplissant la roulotte d'une lumière pâle.

« Tu veux boire quelque chose de chaud ? demanda mon père.

« — Oui, s'il te plaît. »

Il alluma le réchaud à pétrole et posa dessus une bouilloire d'eau.

« J'ai décidé de te faire partager mon plus grand secret », dit-il.

Assis sur ma couchette, je ne le quittais pas des yeux.

« Tu m'as demandé où j'étais allé, dit-il. Eh bien, j'étais à Hazell's Wood.

— Hazell's Wood ! m'écriai-je. Mais c'est à des kilomètres d'ici !

— Dix kilomètres, précisa mon père. Je sais que je n'aurais pas dû y aller et je le regrette beaucoup, mais j'en avais tellement envie... »

Sa voix alla *decrescendo* jusqu'à se perdre dans le néant.

« Mais pourquoi avais-tu une telle envie d'y aller ? » demandai-je.

Il dosa soigneusement une cuillerée de cacao et une cuillerée de sucre pour chacune des tasses, comme s'il préparait un médicament.

« Est-ce que tu sais ce que c'est que le braconnage ? demanda-t-il.

— Le braconnage ? Pas vraiment, non.

— Braconner, c'est aller dans les bois la nuit et en revenir avec de quoi garnir une marmite. Les braconniers s'attaquent à toute sorte de gibier, mais dans notre région ils chassent surtout le faisan.

— Tu veux dire qu'ils les *volent* ? demandai-je éberlué.

— C'est-à-dire que nous voyons les choses sous un autre angle, répondit mon père. Le braconnage

33

est un art. Un grand braconnier est un grand artiste.

— C'est pour ça que tu es allé à Hazell's Wood, papa ? Pour braconner ?

— Je suis allé m'exercer à l'art du braconnage », dit-il.

J'étais suffoqué. Mon père, cet homme doux et amène, n'était qu'un voleur ! Je n'arrivais pas à me persuader qu'il était capable de se glisser furtivement dans les bois à la nuit tombée pour y voler des oiseaux de prix.

« L'eau est en train de bouillir, dis-je.

— En effet. »

Il versa de l'eau dans les tasses et me porta la mienne. Puis il prit la sienne et vint s'asseoir au bout de ma couchette.

« Ton grand-père, mon propre père, dit-il, était un as du braconnage. C'est lui qui m'a enseigné les subtilités de son art et c'est de lui que je tiens cette fièvre du braconnage qui ne m'a pas quitté depuis l'âge de dix ans. Il faut dire qu'à cette époque-là tous les hommes du village partaient la nuit braconner dans les bois. Ils ne le faisaient pas uniquement pour le sport, mais aussi parce qu'ils avaient besoin de nourriture pour leurs familles. Quand j'étais jeune, la vie était dure pour beaucoup de gens en Angleterre. Il n'y avait pas de travail et des familles entières en étaient réduites à mourir littéralement de faim. Pourtant à quelques kilomètres de là, dans la propriété d'un homme riche, des milliers de faisans étaient nourris comme des rois deux fois par jour. Dans ces conditions, on ne peut vraiment pas reprocher à mon père d'être allé de

*Il prit sa tasse et vint s'asseoir
au bout de ma couchette.*

temps en temps dans les bois chercher un volatile ou deux pour nourrir sa famille.

— Non, répondis-je. Bien sûr que non. Mais nous, nous ne mourons pas de faim, papa.

— Tu n'as pas compris, mon petit Danny ! Tu n'as rien compris ! Le braconnage est un sport si fantastique et si fabuleux que quand on a commencé à le pratiquer, on ne peut plus s'arrêter. Imagine un peu, dit-il en se levant et en se mettant à faire des moulinets, sa tasse au bout du bras, imagine un instant que tu es au milieu d'une forêt sombre et remplie de gardes-chasse embusqués derrière les arbres et armés de fusils...

— Des fusils ! m'exclamai-je, interloqué. Ils n'ont tout de même pas des fusils !

— Tous les gardes en ont, Danny. Ils s'en servent surtout contre les nuisibles, comme les renards, les hermines et les belettes, qui s'attaquent aux faisans. Mais tu peux être sûr que s'ils tombent sur un braconnier, ils n'hésitent pas à lui tirer dessus.

— Tu plaisantes, papa ?

— Pas le moins du monde. Ils tirent toujours dans le dos et seulement sur ceux qui tentent de s'échapper. Ils sont heureux de leur envoyer une volée de plombs dans les jambes à une cinquantaine de mètres.

— Ils n'ont pas le droit ! m'indignai-je. On va en prison quand on tire sur les gens !

— On peut également y aller quand on braconne », dit mon père.

Une lueur que je surprenais pour la première fois passa dans son regard.

« Quand j'étais enfant, j'ai souvent vu mon père allongé sur la table de la cuisine où ma mère lui extrayait les plombs des fesses avec un couteau à éplucher les pommes de terre.

— Ce n'est pas vrai, dis-je, en éclatant de rire.

— Tu ne me crois pas?

— Si, bien sûr.

— A la fin, il avait le derrière tout couvert de petites cicatrices blanches qui faisaient penser à des flocons de neige.

— Je ne sais pas pourquoi je ris, dis-je. Ce n'est pas drôle. C'est horrible.

— On appelait ça le «derrière du braconnier», dit mon père. Il n'y avait pas un homme dans le village qui ne fût marqué peu ou prou. Mais mon père les battait tous. Comment trouves-tu ton cacao?

— Très bon, merci.

— Si tu as faim, nous pouvons faire un festin nocturne, dit-il.

— Vraiment?

— Bien sûr. »

Mon père sortit le pain, le beurre et le fromage et commença à préparer des sandwiches.

« Laisse-moi t'expliquer un peu ce qu'ils appellent la chasse au faisan, dit-il. D'abord, elle n'est pratiquée que par les riches. Il n'y a qu'eux qui puissent se permettre d'élever des faisans dans le seul but de les abattre à coups de fusil une fois qu'ils sont arrivés à maturité. Ces riches imbéciles dépensent chaque année de véritables fortunes pour acheter de petits faisans dans des élevages et pour les élever dans des volières spéciales jusqu'à ce qu'ils soient assez vieux pour être lâchés dans les bois. En forêt, les jeunes oiseaux se comportent alors comme de véritables poulets. Les gardes les surveillent en permanence et les nourrissent deux fois par jour avec le meilleur blé, si bien qu'ils deviennent rapidement si gras qu'ils peuvent à peine voler. On engage ensuite des rabatteurs qui balaient les bois en claquant des mains et en faisant autant de bruit que possible pour pousser les faisans à demi domestiques vers les fusils des chasseurs, qui sont pour la plupart inexpérimentés. Et puis, *pan, pan, pan,* et les faisans se mettent à pleuvoir. Tu veux de la confiture de fraises sur un de tes sandwiches ?

— S'il te plaît. Un à la confiture et un au fromage. Mais, papa...

— Oui ?

— Comment fait-on pour attraper les faisans quand on braconne ? Est-ce que tu as un fusil caché dans les bois ?

— Un fusil ! s'écria-t-il avec dégoût. Un braconnier digne de ce nom ne tire jamais sur un faisan, Danny. Tu l'ignorais donc ? Il suffirait d'ailleurs de tirer avec un pistolet à amorce pour que tous les gardes te tombent immédiatement dessus.

— Comment t'y prends-tu, alors ?

— Ah ! » dit mon père, dont les yeux aux paupières mi-closes se voilèrent et devinrent soudain mystérieux.

Il étala en prenant tout son temps une couche épaisse de confiture sur l'un des sandwiches.

« Ce sont là de grands secrets, dit-il. De très grands secrets, en vérité. Mais j'imagine que si mon père me les a confiés, je peux à mon tour te faire confiance. Ça te ferait plaisir ?

— Oui, répondis-je. Je veux que tu me les dises tout de suite. »

Les méthodes
secrètes

« Toutes les meilleures ruses pour capturer les faisans ont été découvertes par mon père. Il étudiait le braconnage comme un savant étudie la science », commença mon père.

Il posa mes sandwiches sur un plat qu'il m'apporta jusqu'à ma couchette. Je pris le plat sur mes genoux et me mis à manger. J'étais affamé.

« Sais-tu que ton grand-père élevait dans notre cour un certain nombre de jeunes coqs dont il se servait pour ses expériences ? dit mon père. Les jeunes coqs ont beaucoup en commun avec les faisans, vois-tu. Ils sont aussi stupides et aiment le même genre de nourriture. Les coqs sont moins sauvages, c'est tout. Alors chaque fois que mon père pensait à une nouvelle ruse pour capturer les faisans, il commençait par l'essayer sur les coqs pour voir si ça marchait.

— Quelles sont les meilleures ruses ? » demandai-je.

Mon père posa un sandwich à demi mangé sur le rebord de l'évier, puis il me regarda fixement en silence pendant une vingtaine de secondes.

« Tu promets de ne jamais les divulguer à qui que ce soit ?

— C'est promis.

— Bon, d'accord, dit-il. Voici donc le premier secret. C'est d'ailleurs bien plus qu'un secret, Danny. C'est la plus grande découverte de toute l'histoire du braconnage. »

Il se rapprocha insensiblement de moi. La lumière jaune pâle de la lampe pendue au plafond donnait à son visage un teint blafard, mais ses yeux brillaient comme des étoiles.

« Voilà, dit-il en baissant la voix et en murmurant sur le ton de la confidence, *les faisans adorent les raisins secs*.

— C'est ça ton grand secret ?

— Tout juste, dit-il. Ça n'a l'air de rien comme ça, mais crois-moi, c'est d'une importance capitale.

— Les raisins secs ? demandai-je.

— Oui. Les faisans ont une véritable *passion* pour les raisins secs. Si tu jetais une poignée de raisins secs ordinaires au milieu d'une compagnie de faisans, tu les verrais se les disputer à coups de bec. Il y a quarante ans que mon père a découvert cela, tout comme il a découvert les autres choses dont je vais te parler. »

Mon père marqua un temps d'arrêt et regarda par-dessus son épaule, comme pour s'assurer que personne ne s'était glissé dans la roulotte pour surprendre ses révélations.

« La méthode numéro un, dit-il doucement, s'appelle le « bouchon au crin de cheval ».

— *Le bouchon au crin de cheval,* murmurai-je après lui.

— C'est ça, dit mon père. Cette méthode est géniale, car absolument silencieuse. Il n'y a ni cris ni battements d'ailes ou quoi que ce soit du même genre quand on capture le faisan. Cela est d'une importance capitale, car n'oublie pas, Danny, que dans ces bois, où les branches des grands arbres se déploient au-dessus de ta tête comme des fantômes noirs, il règne la nuit un tel silence qu'on entendrait trotiner une souris. Or, quelque part parmi ces arbres, les gardes sont à l'affût, immobiles derrière un tronc ou dans un taillis, l'arme chargée.

— Qu'est-ce que c'est le « bouchon au crin de cheval » ? demandai-je. Comment ça marche ?

— C'est très simple, dit-il. Il suffit de prendre quelques raisins secs et de les mettre à tremper toute une nuit pour qu'ils gonflent et deviennent tendres et juteux. Tu prends ensuite un crin de cheval bien raide et tu le coupes en sections d'un centimètre et demi.

— Et le crin de cheval, demandai-je, où est-ce qu'on le trouve ?

— Sur la queue d'un cheval, pardi. C'est facile à arracher, mais il faut bien se tenir à côté du cheval pour ne pas risquer de recevoir une ruade.

— Continue, dis-je.

— Tu coupes donc des bouts de crin d'un centimètre et demi, puis tu en passes un au travers d'un grain de raisin de manière qu'il dépasse un peu de part et d'autre. C'est tout. Avec ça tu peux capturer un faisan. Si tu veux en prendre plusieurs, il suffit de préparer un plus grand nombre de grains de raisin. Au crépuscule, tu te glisses dans les bois, où tu devras arriver avant que les faisans ne se soient perchés sur les arbres pour la nuit. Ensuite, tu n'as plus qu'à semer les grains de raisin et à attendre que les faisans viennent les picorer.

— Et ensuite ? demandai-je.

— Voici ce que mon père a découvert, dit-il. D'abord, le bout de crin bloque le grain de raisin dans le gosier du faisan. Ça ne le blesse pas, mais ça reste coincé là et ça chatouille. C'est un peu comme quand une croûte de pain reste collée dans ton gosier. A partir du moment où il a avalé le raisin, *le faisan ne peut plus bouger ni pied ni patte !* Il est comme cloué sur place et il reste là à hocher la tête de haut en bas comme un piston. Tu n'as plus qu'à sortir de l'endroit où tu t'étais caché et à t'en emparer en un tour de main.

— Ça marche vraiment, papa ?

— Je te le garantis, répondit-il. Une fois que le faisan a avalé le « bouchon au crin de cheval », tu peux t'approcher de lui en brandissant un bâton sans qu'il cherche à s'enfuir. C'est une de ces petites choses inexplicables que seuls les génies peuvent découvrir. »

Mon père marqua un temps d'arrêt. Il y avait une lueur d'orgueil dans son regard tandis qu'il s'attardait un instant dans l'évocation du souvenir de son propre père, le braconnier de génie.

« C'était la méthode numéro un, dit-il.

— Et la numéro deux, c'est quoi ? demandai-je.

— Ah ! dit-il. La numéro deux est une pure

merveille, un véritable éclair de génie. Je me rappelle très bien le jour où mon père l'a inventée. J'avais à peu près ton âge lorsqu'un dimanche matin ton grand-père a fait irruption dans la cuisine avec un gros coq entre les mains. « Je crois que j'ai trouvé », a-t-il dit. Il souriait et son visage resplendissait de bonheur. De sa démarche rapide et silencieuse, il s'est approché de la table, au milieu de laquelle il a déposé le coq. « Crénom ! s'est-il exclamé. « J'en tiens une bonne, cette fois ! — Une bonne « quoi ? a demandé ma mère en levant les yeux de « son évier. Horace, fais immédiatement descendre « ce sale oiseau de ma table. » La tête du coq disparaissait sous un drôle de petit chapeau en papier qui ressemblait à un cornet à glace retourné. Mon père me montra fièrement l'animal du doigt et me dit : « Caresse-le. Allons, caresse-le. Tu peux « lui faire ce que tu veux, il ne bougera pas d'un « millimètre. » Le coq essayait bien de se débar-rasser de son chapeau avec l'une de ses pattes, mais celui-ci paraissait collé sur sa tête et il n'y parvenait pas. « ... Il n'y a pas un oiseau au monde qui « puisse s'envoler si on lui couvre les yeux », expli-qua mon père en piquant du bout du doigt le coq, qui semblait indifférent à son harcèlement. « Je « te l'abandonne, ajouta-t-il à l'intention de ma « mère. Tu peux lui tordre le cou et le préparer « pour fêter ma découverte. » Sur ce, il m'a pris par la main et m'a entraîné dehors. Nous avons rejoint à travers champs le grand bois de Little Hampden, qui appartenait en ce temps-là au duc de Buckingham. En moins de deux heures, nous avons capturé cinq faisans dodus avec autant de facilité que si nous les avions achetés chez le marchand. »

Mon père s'arrêta pour reprendre sa respiration. Ses yeux brillaient à l'évocation du monde merveilleux de son enfance.

« Mais, papa, dis-je, comment s'y prend-on pour mettre le petit chapeau sur la tête du faisan ?

— Tu ne devineras jamais, Danny.

— Dis-le-moi.

— Ecoute bien, dit-il en jetant un nouveau coup d'œil par-dessus son épaule, comme s'il avait redouté qu'un garde-chasse, ou le duc de Buckingham en personne, ne se fût tenu à la porte de la roulotte. Voici comment on s'y prend. Tu commences par creuser un petit trou dans le sol. Ensuite, tu fais un cornet de papier que tu ajustes, la pointe en bas, dans ton trou. Enfin, tu enduis de glu l'intérieur du cornet au fond duquel tu déposes quelques grains de raisin. Après, tu traces une ligne de grains de raisin menant au cornet. Le faisan suit la piste en picorant et lorsqu'il arrive devant le trou, il y plonge la tête pour atteindre les grains de raisin. A ce moment-là, il se retrouve avec un chapeau en papier sur les yeux et il ne voit plus rien. Tu ne trouves pas ça génial comme idée, Danny ? Mon père avait baptisé cette méthode le « chapeau collant ».

— C'est celle que tu as essayée cette nuit ? » demandai-je.

Mon père hocha la tête.

« Combien en as-tu pris, papa ?

— Eh bien, répondit-il, l'air embarrassé, aucun. Je suis arrivé trop tard. A mon arrivée, ils commençaient déjà à monter se brancher pour la nuit. Comme tu vois, je manque d'entraînement.

— C'était quand même bien ?

— C'était fantastique, dit-il. Tout bonnement fantastique. Exactement comme dans le temps. »

Il se déshabilla et passa son pyjama. Après avoir éteint la lampe du plafond, il grimpa dans sa couchette.

« Papa, murmurai-je.

— Qu'y a-t-il ?

— Tu pars souvent la nuit quand je dors ?

— Non, dit-il. C'était la première fois en neuf ans, cette nuit. Après la mort de ta mère et quand j'ai dû t'élever seul, je me suis juré de ne plus braconner jusqu'à ce que tu sois assez grand pour rester seul la nuit. Cette nuit, j'ai failli à mon serment. J'avais tellement envie de retourner dans les bois que je n'ai pas pu résister. Je suis désolé.

— Tu peux y retourner quand tu voudras, ça ne me fait rien de rester seul, dis-je.

— Vraiment ? demanda-t-il avec une inflexion ascendante qui trahissait une vive émotion. Tu le penses vraiment ?

— Oui, répondis-je. Préviens-moi seulement avant de partir, c'est d'accord ?

— Tu es absolument sûr que ça ne te fait rien ?

— Absolument.

— Brave petit bonhomme, dit-il. Nous mangerons du faisan rôti chaque fois que tu en auras envie. Tu verras, c'est infiniment meilleur que le poulet.

— Tu m'emmèneras avec toi un de ces jours, papa ?

— Tu me parais encore un peu jeune pour aller

marauder la nuit, dit-il. Je ne voudrais pas que tu te fasses plomber les fesses à ton âge.

— Ton père t'emmenait bien quand tu avais mon âge ? » rétorquai-je.

Il y eut un court silence.

« Nous verrons comment ça se présentera, dit mon père. Mais j'aimerais me refaire la main avant de promettre quoi que ce soit, tu comprends ?

— Oui, l'assurai-je.

— Pour t'emmener avec moi, il faudrait que je retrouve la forme d'autrefois.

— Je comprends, dis-je.

— Bonne nuit, Danny. Dors à présent.

— Bonne nuit, papa. »

M. Victor Hazell

Le vendredi suivant, alors que nous étions en train de dîner dans notre roulotte, mon père me dit :

« Si ça ne te dérange pas, Danny, j'aimerais faire une sortie demain soir.

— Tu veux dire aller braconner ?

— C'est ça.

— Tu vas retourner à Hazell's Wood ?

— C'est toujours là que je braconnerai, répondit-il. D'abord, parce que c'est là qu'il y a tous les faisans. Ensuite, parce que je n'aime pas, mais alors pas du tout, M. Hazell et que c'est un plaisir pour moi de chaparder ses oiseaux. »

Je dois faire ici une petite digression pour vous parler un peu de M. Victor Hazell. Propriétaire d'une très importante brasserie, M. Hazell était riche comme Crésus et sa propriété s'étendait sur plusieurs kilomètres de part et d'autre de la vallée.

Toutes les terres qui entouraient la station, des deux côtés de la route, lui appartenaient. Toutes, sauf la petite parcelle de terrain sur laquelle s'élevait notre station-service. Cette parcelle-là appartenait à mon père. C'était une petite île dans le vaste océan des propriétés de M. Hazell.

M. Victor Hazell prenait toujours de grands airs et tentait désespérément de se faire admettre dans ce qu'il appelait la bonne société. Il donnait des chasses à courre et à tir et arborait toujours des gilets somptueux. Chaque jour de la semaine, il passait devant la station-service au volant de sa Rolls-Royce argentée pour se rendre à sa brasserie. Parfois, quand il passait en trombe devant chez nous, nous apercevions au-dessus du volant sa trogne rubiconde, rose comme le jambon, illuminée par l'excès de bière.

« Non, insista mon père, je n'aime pas du tout M. Victor Hazell. Je n'ai pas oublié la façon dont il t'a traité l'année dernière lorsqu'il s'est arrêté pour faire le plein. »

Je ne l'avais pas oubliée non plus. M. Hazell avait garé sa Rolls-Royce flamboyante devant les pompes et m'avait dit :

« Fais le plein et tâche de ne pas faire de bêtise. »

J'avais huit ans à l'époque. Sans descendre de voiture, il m'avait tendu la clef du réservoir et aboyé :

« Et fais bien attention de ne pas poser tes sales petites pattes n'importe où, c'est compris ? »

Comme je ne comprenais pas du tout, je lui avais demandé :

M. Hazell passait devant la station-service
au volant de sa Rolls-Royce.

« Que voulez-vous dire, monsieur ? »

Il avait pris la cravache de cuir posée sur le siège près de lui et, la pointant vers moi comme un pistolet, m'avait dit :

« Si tu salis la peinture de ma voiture avec tes doigts, je descends te flanquer une volée. »

Mon père était sorti de l'atelier sans lui laisser le loisir d'ajouter un mot. Il s'était dirigé vers la voiture, avait posé les mains sur l'appui de la fenêtre et passé la tête à l'intérieur.

« Je n'aime pas le ton sur lequel vous parlez à mon fils », avait-il dit d'une voix contenue et lourde de menaces.

M. Hazell ne l'avait pas regardé. Il était demeuré immobile derrière le volant de sa Rolls-Royce, regardant droit devant lui de ses petits yeux porcins. Ses lèvres avaient esquissé une sorte de petit sourire supérieur.

« Je vous interdis de le menacer, avait poursuivi mon père. Il n'a rien fait de mal. »

M. Hazell avait continué à ignorer mon père.

« La prochaine fois que vous promettez une volée à quelqu'un, je suggère que vous vous adressiez à une personne de votre taille, comme moi par exemple », avait dit mon père.

M. Hazell n'avait pas fait un geste.

« Maintenant, allez-vous-en, s'il vous plaît, avait dit mon père. Nous ne voulons pas vous servir. »

Il m'avait pris la clef des mains et l'avait expédiée d'une chiquenaude à travers la fenêtre. La Rolls-Royce s'était éloignée à toute allure en soulevant un nuage de poussière.

Le matin suivant, un inspecteur du ministère de

la Santé publique s'était présenté pour visiter notre roulotte.

« Qu'est-ce qui vous prend de venir inspecter notre roulotte ? avait demandé mon père.

— Nous voulons vérifier que c'est un logement salubre, avait répondu l'homme. Les gens ne doivent plus croupir dans des taudis de nos jours. »

Mon père lui avait montré l'intérieur de la roulotte, qui était impeccablement propre et accueillant. L'homme avait été dans l'obligation d'admettre qu'il n'y avait rien à redire.

Peu de temps après, un autre inspecteur s'était présenté pour prélever un échantillon d'essence dans l'une de nos cuves. Mon père m'avait expliqué qu'il vérifiait que nous ne coupions pas le super avec de l'essence ordinaire, fraude à laquelle les propriétaires de stations-service peu scrupuleux se livraient régulièrement. Bien sûr, notre essence était irréprochable.

Toutes les semaines ou presque, des représentants d'administrations officielles différentes s'étaient présentés pour vérifier telle ou telle autre chose. Pour mon père, M. Hazell était sans l'ombre d'un doute responsable de toutes ces visites et il manœuvrait en coulisse pour nous chasser de chez nous.

Vous comprenez mieux pourquoi, toute honte bue, mon père éprouvait un certain plaisir à la perspective d'aller braconner dans les bois de M. Victor Hazell.

Cette nuit-là, nous mîmes les raisins à tremper.

L'expédition était pour le lendemain et, croyez-moi, cela ne laissait pas mon père indifférent. Dès l'instant où il quitta sa couchette le matin, l'agitation commença à le gagner. Comme c'était samedi et qu'il n'y avait pas d'école, je passai la journée dans l'atelier à décalaminer en sa compagnie les cylindres de l'Austin Seven de M. Pratchett. C'était une merveilleuse petite auto qui datait de 1933, un petit miracle à quatre roues qui marchait comme une horloge malgré ses quarante ans passés. Mon père m'expliqua que ces Austin Seven, plus connues sous le nom d'Austin Baby, avaient été les premières petites voitures de série jamais construites. M. Pratchett, qui possédait un élevage de dindes près d'Aylesbury, était très fier de la sienne et nous en confiait toutes les réparations.

Avec mon père, nous commençâmes par dégager les ressorts des soupapes et, après avoir retiré celles-ci, nous déboulonnâmes la culasse, que nous ôtâmes également. Nous pûmes alors commencer à gratter la calamine qui recouvrait les têtes de piston et le fond de la culasse.

«Je partirai à six heures, m'annonça soudain mon père. Comme ça j'arriverai au bois juste au crépuscule.

— Pourquoi est-il si important que tu y sois au crépuscule? demandai-je.

— Parce qu'à cette heure-là il tombe comme un voile qui estompe tout dans les sous-bois. On y voit assez pour se déplacer, mais il devient très difficile de repérer quelqu'un. Et lorsqu'on est en danger, on peut toujours se réfugier parmi les ombres, car elles sont plus noires que la gueule d'un loup.

— Pourquoi ne pas carrément attendre la nuit? demandai-je. On ne te verrait plus du tout alors.

— Je n'attraperais rien si je faisais cela, dit-il. Lorsque la nuit tombe, les faisans vont se percher pour dormir. Comme les autres oiseaux, ils ne dorment jamais sur le sol. Le crépuscule, ajouta mon père, tombe sur le coup de sept heures et demie cette semaine. Comme il y a une heure et demie de marche jusqu'au bois, il me faut partir d'ici à six heures au plus tard.

— Vas-tu employer le « chapeau collant » ou le « bouchon au crin de cheval » ? demandai-je.

— Le « chapeau collant », dit-il. J'ai une préférence pour cette méthode.

— Quand seras-tu de retour ?

— Aux environs de dix heures du soir, dit-il. A dix heures et demie au plus tard. Je te promets qu'à dix heures et demie je serai rentré. C'est bien vrai que je peux te laisser seul ?

— Tout à fait, répondis-je. Mais tu ne risques rien, hein, papa ?

— Ne te tracasse pas, dit-il en me passant un bras autour des épaules et en me serrant contre lui.

— Mais tu m'as dit que tous les hommes du village finissaient par se faire tirer dessus un jour ou l'autre.

Ah ! dit mon père, je t'ai raconté ça, hein ? C'est que dans le temps, il y avait infiniment plus de gardes dans les bois que de nos jours. Il s'en cachait un derrière chaque arbre ou presque.

— Combien y en a-t-il dans Hazell's Wood aujourd'hui ?

— Pas beaucoup, dit-il. Il n'y en a vraiment pas beaucoup. »

Tout au long de la journée, je vis l'impatience

et l'agitation gagner mon père. Vers cinq heures, nous avions terminé le décalaminage de l'Austin Baby et nous partîmes ensemble l'essayer sur la route.

A cinq heures trente, nous nous mîmes à table pour souper, mais mon père toucha à peine aux saucisses et au bacon.

A six heures pile, il m'embrassa et me dit :

« Promets-moi de ne pas m'attendre, Danny. Mets-toi au lit à huit heures et dors. D'accord ? »

Il se mit en chemin et, perché sur la plate-forme de la roulotte, je le regardai s'éloigner. J'aimais sa démarche. Il avançait à grandes enjambées, comme les gens de la campagne habitués aux longues randonnées à pied. Il portait un vieux chandail bleu marine et était coiffé d'une casquette encore plus vieille que le chandail. Il se retourna et me fit un signe de la main. Je lui répondis en agitant le bras, puis il disparut au tournant de la route.

L'Austin Baby

En grimpant sur une chaise, j'allumai la lampe pendue au plafond de la roulotte. J'avais des devoirs à faire et le moment me semblait propice à ce genre de choses. Je posai mes livres de classe sur la table et m'installai devant. Mais je ne parvins pas à me concentrer sur mon travail.

L'horloge marquait sept heures et demie. Le crépuscule était en train de tomber. Mon père devait avoir atteint le bois à présent. Je l'imaginais dans son vieux chandail bleu marine, sa casquette à visière sur la tête, remontant en tapinois le chemin du bois. Il m'avait expliqué qu'il mettait ce chandail parce que le bleu marine ne se voyait pas dans l'obscurité. Selon lui, le noir était encore mieux. La casquette avait, elle aussi, son importance. Sa visière jetait, en effet, une ombre sur le visage. En cet instant même il devait être en train de se faufiler dans le bois à travers la haie. Je le voyais dans le bois, avançant avec précaution sur le sol jonché de feuilles, s'arrêtant, tendant l'oreille, repartant, cherchant sans cesse à repérer le garde, qui, le fusil sous le bras, se tenait coi quelque part contre un arbre. Les gardes ne bougent pas quand ils sont à l'affût des braconniers, m'avait-il dit. Ils se tiennent immobiles comme des statues, tout contre le tronc d'un arbre, et dans cette position ne sont guère faciles à repérer dans le crépuscule aux ombres noires comme des gueules de loup.

Je refermai mes livres. Il était inutile de m'acharner à travailler. Je résolus donc d'aller me coucher. Je me déshabillai, enfilai mon pyjama et m'installai dans ma couchette. Je laissai la lampe allumée et ne tardai guère à m'endormir.

Lorsque je rouvris les yeux, la lampe était toujours allumée et la pendule contre le mur indiquait deux heures dix.

Deux heures dix !

Je sautai à bas de ma couchette et regardai dans celle du dessus. Elle était vide.

Mon père avait promis d'être de retour à dix heures et demie au plus tard et il tenait toujours ses promesses.

Il avait près de quatre heures de retard !

Je sentis soudain un effroyable sentiment d'inquiétude m'envahir. J'étais sûr qu'il lui était vraiment arrivé quelque chose cette fois-ci. J'en étais absolument sûr.

Tout doux, me dis-je, pas de panique. La semaine dernière, tu as perdu la tête et tu t'es couvert de ridicule.

Oui, mais la semaine passée c'était une autre paire de manches. La semaine précédente, il ne m'avait rien promis. Cette fois-ci, en revanche, il avait bien spécifié : « Je te promets qu'à dix heures et demie je serai rentré. » C'était là ses propres paroles. Et il ne faisait jamais, absolument jamais, de promesses en vain.

Je consultai à nouveau la pendule. Mon père avait quitté la roulotte à six heures : *il y avait donc plus de huit heures qu'il était parti !*

Il ne me fallut guère plus de deux secondes pour prendre ma décision.

Très vite, j'ôtai mon pyjama et enfilai ma chemise et mon jean. Peut-être les gardes l'avaient-ils blessé si gravement qu'il était incapable de marcher. J'enfilai mon chandail. Il n'était ni noir ni bleu marine. C'était un chandail marron clair et je n'avais rien de mieux. Peut-être mon père gisait-il dans le bois, saigné à blanc par une décharge de plombs. Mes tennis, eux non plus, n'étaient pas de la bonne couleur. Heureusement, ils étaient sales et ne gardaient pas grand-chose de leur blancheur originelle. Combien de temps me faudrait-il pour aller jusqu'au bois ? Une heure et demie. Moins si je courais pendant une bonne partie du chemin, mais pas beaucoup moins. En me baissant pour nouer mes lacets, je constatai que mes mains tremblaient. Quant à mon estomac, il était envahi de picotements affreux, comme s'il avait été plein de petites aiguilles.

Je descendis l'escalier de la roulotte et partis en courant vers l'atelier pour y prendre la torche électrique. Une torche est une compagne indispensable quand on est seul dehors la nuit et je voulais emporter la mienne. Je m'emparai d'elle et quittai l'atelier. Je m'arrêtai un court instant près des pompes. La lune avait disparu depuis longtemps, mais le ciel était clair et les étoiles innombrables brillaient au-dessus de ma tête. Il n'y avait pas de vent du tout et tout était silencieux. A ma droite, plongeant dans la campagne enténébrée, la route qui menait au bois redoutable était déserte.

Dix kilomètres.

Heureusement, je connaissais le chemin.

A pied, ce serait quand même long et pénible. Il faudrait essayer d'avancer à une cadence régulière pour ne pas être épuisé au bout d'un kilomètre ou deux.

C'est alors que j'eus une idée aussi lumineuse que téméraire.

Pourquoi ne pas y aller avec l'Austin Baby ? Je savais la conduire. Mon père me laissait toujours déplacer les automobiles qu'on nous amenait. Je pouvais les conduire dans l'atelier, dont je les sortais ensuite en marche arrière. Parfois même, j'en conduisais une en première jusque devant les pompes. J'aimais beaucoup ça. Et de cette manière, j'arriverais au bois bien plus rapidement. C'était un cas de force majeure. Si mon père était blessé et s'il saignait abondamment, chaque minute comptait. Je n'avais jamais conduit sur route, mais j'avais peu de chances de rencontrer une autre voiture à cette heure de la nuit. Je n'aurais qu'à rouler lentement en tenant bien ma gauche*.

Je retournai à l'atelier et allumai la lumière.

* En Angleterre, les voitures doivent rouler à gauche et non à droite comme en France.

J'ouvris la porte à deux battants. Je m'installai derrière le volant de l'Austin Baby, mis le contact et tirai sur le starter. Ayant trouvé la manette du démarreur sur le plancher, près du levier de changement de vitesse, j'appuyai dessus. Le moteur toussa une fois et démarra.

Au tour des lanternes maintenant. Il y avait un interrupteur pointu sur le tableau de bord. Je le tournai sur la position veilleuses : elles s'allumèrent aussitôt. Je tâtonnai du bout du pied à la recherche de la pédale d'embrayage. Elle était juste à ma portée, mais pour l'enfoncer jusqu'au bout, il fallait que je pousse de la pointe du pied. J'enfonçai la pédale et passai la marche arrière. Lentement, je sortis la voiture de l'atelier.

Je la laissai tourner au ralenti pour aller éteindre la lumière de l'atelier. Il valait mieux que tout eût l'air normal. Maintenant la station-service était plongée dans l'obscurité, à l'exception de la lueur diffuse qui venait de la roulotte, où la lampe à pétrole brûlait toujours. Je décidai de la laisser allumée.

Je remontai en voiture et claquai la portière. Les veilleuses étaient si faibles qu'on n'y voyait goutte. Je mis en phares. Le résultat était meilleur. Je cherchai la commande des codes de la pointe du pied. Je la trouvai et l'essayai. Comme elle marchait, je résolus de rester en pleins phares. Si d'aventure je rencontrais une autre voiture, il faudrait que je pense à passer en code, quoique, en vérité, mes phares ne fussent pas assez puissants pour éblouir un cafard. Ils n'éclairaient guère plus qu'une paire de bonnes torches.

60

J'enfonçai de nouveau la pédale d'embrayage et passai en première. Ça y était. Mon cœur battait à se rompre. Je sentais ses battements me remonter le long de la gorge. La voie publique était à dix mètres de moi. Il faisait noir comme dans un four. J'embrayai très doucement et enfonçai l'accélérateur de quelques millimètres. Ô merveille ! La voiture s'ébranla insensiblement. J'appuyai un tout petit peu plus sur la pédale. La voiture quitta tout doucement le périmètre de la station-service et s'engagea sur la route noire et déserte.

Je n'aurai pas l'audace de prétendre que je n'étais pas inquiet. Je peux même dire que j'étais mort de peur. Mais à ma terreur se mêlait une exaltation grisante. La plupart des choses excitantes que nous entreprenons dans la vie nous glacent en même temps d'effroi. Où serait l'exaltation, sans la peur ? Je me sentais très droit et très raide sur mon siège, le volant fermement agrippé à deux mains. Mes yeux étaient à peu près au même niveau que le haut du volant. J'aurais été heureux d'avoir un coussin pour me surélever, mais il était trop tard pour penser à ça.

La route me paraissait terriblement étroite, dans le noir. Je savais pourtant qu'elle était assez large pour permettre à deux véhicules de s'y croiser. De la station-service, j'avais eu l'occasion de voir des millions de véhicules le faire. Au volant de l'Austin, cela me paraissait néanmoins improbable. A n'importe quel moment, je risquais de voir les phares d'un gros camion ou d'un autocar interurbain surgir de la nuit et me foncer dessus à cent à l'heure. Est-ce que je roulais trop à droite ? Oui, sans doute.

Pourtant je ne voulais pas trop me déporter sur la gauche de peur de heurter le talus. Si cela arrivait, par malchance, je fausserais sans doute l'essieu avant et tout serait perdu, car je ne pourrais jamais ramener mon père chez nous.

Le moteur, qui était toujours en première, commençait à vrombir et à s'emballer. Il fallait à tout prix passer en seconde, faute de quoi le moteur allait chauffer. Je connaissais la manœuvre, mais je ne m'y étais jamais risqué. A la station-service j'étais toujours resté en première.

Je me jetai à l'eau.

Je relâchai la pression de mon pied sur l'accélérateur. Je débrayai et maintins la pédale enfoncée. Je trouvai le levier de changement de vitesse et le tirai en arrière, de première en seconde. J'embrayai de nouveau et appuyai sur l'accélérateur. La petite voiture fit un bond en avant, comme un cheval sous la morsure du fouet. Nous étions en seconde.

A quelle vitesse allions-nous ? Je jetai un coup d'œil sur le compteur. Il était faiblement éclairé, mais je parvins à le lire. Il indiquait vingt-cinq kilomètres à l'heure. Excellent. Ça me convenait comme vitesse. Je resterais donc en seconde. Je me mis à calculer combien de temps il me faudrait pour parcourir dix kilomètres à vingt-cinq kilomètres à l'heure.

A cent à l'heure, il aurait fallu six minutes pour parcourir dix kilomètres.

A cinquante, il aurait fallu deux fois plus de temps, soit douze minutes.

A vingt-cinq, il faudrait de nouveau deux fois plus de temps, soit vingt-quatre minutes.

Je poursuivis mon chemin. Je connaissais très bien cette route, tous ses virages, ses côtes et ses descentes. A un moment, un renard déboucha d'une haie et traversa la route devant moi à la vitesse de l'éclair, sa longue queue touffue flottant derrière lui. J'eus le temps de l'apercevoir distinctement dans le pinceau de lumière de mes phares. Sa fourrure était rouge brique et il avait le museau blanc. Cette vision me combla de joie. Le moteur commençait à m'inquiéter de nouveau. Je savais très bien qu'un moteur se met inévitablement à chauffer quand on reste trop longtemps en première ou en seconde. Comme j'étais précisément en seconde, il me fallait donc passer en troisième. Je pris une profonde inspiration et empoignai une nouvelle fois le levier de changement de vitesse. Je levai le pied de l'accélérateur, débrayai, repoussai le levier vers le haut, à droite, puis encore vers le haut, avant d'embrayer de nouveau. J'avais réussi ! J'enfonçai l'accélérateur. Le compteur grimpa jusqu'à cinquante. Je serrai le volant à deux mains et demeurai au milieu de la chaussée. A une allure pareille, j'aurais tôt fait d'arriver.

Hazell's Wood n'était pas en bordure de la route principale. Pour y accéder, il fallait tourner à gauche dans une trouée de la haie et grimper une colline en empruntant sur quatre cents mètres un chemin cahoteux. Sur sol mouillé, une voiture n'aurait jamais pu y arriver. Heureusement, il n'avait pas plu depuis une semaine et le terrain devait être sec et ferme. La trouée ne doit plus être loin, me dis-je. Il fallait se montrer vigilant, car il était facile de la manquer. Rien, pas même une barrière, n'indiquait son emplacement. Ce n'était qu'une simple brèche dans la haie, juste assez large pour les tracteurs.

Tout à coup, loin devant moi, juste sous la ligne du ciel nocturne, j'aperçus une tache de lumière jaune. Je la fixai un instant en tremblant. Cette rencontre, je l'avait redoutée depuis le début de mon expédition. Très vite, la lumière se rapprocha et devint plus vive. Au bout de quelques instants, le long faisceau des phares d'une automobile roulant en sens inverse se dessina.

L'endroit où je devais tourner devait être très proche maintenant. Ma seule hâte était de l'atteindre et de quitter la route avant que ce monstre ne soit à ma hauteur. J'appuyai un bon coup sur l'accélérateur. Le petit moteur rugit. L'aiguille du compteur sauta de cinquante à soixante puis à soixante-cinq. Malheureusement, l'autre voiture ne s'en rapprochait que plus vite. Ses phares étaient comme deux petits yeux blancs et éblouissants. Ils se mirent à grossir démesurément, toute la route devant moi s'illumina comme en plein jour et soudain, VROUM ! La voiture me croisa comme un boulet de canon. Elle passa si près que je sentis par ma fenêtre ouverte le souffle d'air qu'elle déplaçait. Pendant la fraction de seconde où les deux véhicules furent côte à côte, j'aperçus les flancs blancs d'une voiture de police.

Je n'osai pas me retourner pour voir si la voiture faisait demi-tour pour se mettre à ma poursuite. J'étais certain qu'elle le ferait. Pas un policier au monde n'aurait manqué d'arrêter sa voiture s'il avait croisé un jeune garçon au volant d'un minuscule teuf-teuf sur une route déserte à deux heures et demie du matin. Je n'avais qu'une idée en tête : décamper, m'enfuir, disparaître. Le Ciel m'est témoin que je n'avais cependant pas la moindre idée sur la façon d'accomplir un tel prodige. J'appuyai un peu plus sur l'accélérateur. Puis, tout à coup, j'aperçus à la maigre lumière de mes phares l'étroite trouée de la haie sur ma gauche. Je n'avais pas le temps de freiner ni même celui de ralentir. Je me contentai donc de donner un grand coup de volant en priant pour que ça marche. La petite voiture fit une embardée, quitta la route et plongea dans la trouée. Elle retomba sur le sol en pente du chemin de terre, rebondit et dérapa derrière la haie.

Mon premier réflexe fut d'éteindre mes lanternes. Je fis cela sans trop savoir pourquoi. Sans doute parce que je me cachais et que lorsqu'on se cache dans le noir, on ne trahit pas sa position en allumant une lumière. Je demeurai immobile et silencieux dans ma voiture sans lumière. La haie était épaisse et on ne voyait pas au travers. La voiture, qui avait quitté le chemin de terre lors de son dérapage, était plaquée contre la haie dans une sorte de champ. Elle était tournée vers la station-service. La voiture de police s'était arrêtée une cinquantaine de mètres plus bas et je l'entendais faire demi-tour. La route était trop étroite pour qu'elle y parvienne en une seule manœuvre. Puis le bruit de son moteur grandit et elle bondit en rugissant, tous phares allumés. Elle passa en flèche devant l'endroit où j'étais tapi et s'éloigna à toute vitesse dans la nuit.

Apparemment, le policier ne m'avait pas vu quitter la route.

Mais j'étais certain qu'il reviendrait bientôt à ma recherche. Et qu'il ne manquerait pas la trouée, s'il roulait plus lentement la prochaine fois. Il franchirait la haie, regarderait derrière, et puis... Et puis la lumière de sa torche m'éblouirait et il dirait : « Que se passe-t-il, fiston ? Qu'est-ce qui te prend ? Où vas-tu comme ça ? A qui appartient cette voiture ? Où habites-tu ? Où sont tes parents ? » Il faudrait que je l'accompagne au commissariat où on finirait par me faire raconter l'histoire qui perdrait mon père.

J'attendais sans bouger et sans faire de bruit. J'attendis un long moment. Je perçus enfin le bruit de la voiture revenant dans ma direction. Elle faisait un bruit du diable. Son conducteur avait le pied au plancher et elle siffla en passant à ma hauteur. A la façon dont le moteur rugissait, on devinait que le policier devait être furieux. Il ne devait plus très bien savoir à quel saint se vouer. Il pensait peut-être avoir vu un fantôme. Le fantôme d'un petit garçon au volant d'une voiture fantôme.

J'attendis pour voir s'il faisait une nouvelle fois demi-tour.

Il ne revint pas.

Je rallumai mes lanternes.

J'actionnai le démarreur. Le moteur démarra au quart de tour.

Je me demandai si les roues et le châssis étaient également intacts. Je redoutais que quelque chose ne se fût cassé, brisé lorsque la voiture avait bondi de la route sur le chemin de terre.

Je mis la voiture en prise et avançai très lentement. Je tendais l'oreille, car je m'attendais à entendre des bruits horribles. Il ne se passa rien et je pus quitter l'herbe pour regagner le chemin.

Je conduisais très lentement à présent. Le chemin était extrêmement cahoteux et plein d'ornières. La pente était de surcroît très raide. La petite automobile bringuebalait tant qu'elle pouvait, mais elle avançait. Et puis enfin, à droite devant moi, Hazell's Wood m'apparut, telle une gigantesque créature noire tapie au sommet de la colline.

J'y arrivai en un instant. Des arbres immenses s'élevaient jusqu'au ciel sur tout le côté droit du chemin. J'arrêtai la voiture. Je coupai le contact et éteignis les lanternes. Je descendis en emportant la torche.

Comme tous les bois, celui-ci était séparé du chemin par une haie. Je me faufilai à travers celle-ci et me retrouvai d'un seul coup dans le bois. Lorsque je levai les yeux, je vis que les arbres s'étaient refermés sur moi comme un toit de prison. Je n'apercevais plus le moindre coin de ciel ni la moindre étoile. La nuit qui m'entourait était si noire qu'elle en devenait quasiment palpable.

« Papa ! m'écriai-je. Papa, es-tu là ? »

Mon petit filet de voix aigu résonna dans la forêt avant de s'éteindre. J'attendis une réponse, mais en vain.

La fosse

Il m'est impossible de vous décrire les sentiments que j'éprouvais, seul dans ce bois silencieux et noir comme un four aux petites heures de la nuit. J'étais écrasé par le sentiment de ma propre solitude. Le silence de mort n'était brisé que par mes propres bruits. J'essayai de demeurer immobile aussi long-temps que possible afin de parvenir, peut-être, à entendre quelque chose. Je tendis l'oreille pendant un long moment sans succès. J'essayai de nouveau en retenant ma respiration. J'avais la sensation absurde que le bois tout entier écoutait avec moi. Les arbres, les taillis, les petits animaux tapis dans les brous-sailles, les oiseaux juchés sur les branches : tous écoutaient. Le silence, lui-même, écoutait.

J'allumai ma torche. Un faisceau de lumière écla-tante jaillit devant moi, tel un long bras blanc. C'était

*J'étais écrasé par
le sentiment de ma propre
solitude.*

beaucoup mieux comme ça. Maintenant au moins je voyais où j'allais.

Les gardes aussi devaient le voir. Mais je ne me souciais guère des gardes. La seule personne qui m'importait était mon père. Je voulais le retrouver.

Ma torche allumée, je m'enfonçai plus avant dans le bois.

« Papa ! hurlai-je. Papa ! C'est Danny ! Es-tu là ? »

J'ignorais dans quelle direction je me déplaçais. Je me contentais de marcher droit devant moi et de lancer de temps à autre un appel. A chaque appel, je m'arrêtais et tendais l'oreille. Mais aucune réponse ne me parvenait.

Au bout d'un moment, ma voix se mit à chevroter. Je me mis à débiter des imbécillités, du genre : « Oh ! papa, je t'en prie, dis-moi où tu es ! S'il te plaît, réponds-moi ! S'il te plaît, oh ! s'il te plaît... » Je compris que si je ne me secouais pas un peu, je finirais par renoncer, en proie au désespoir, et m'étendrais sous les arbres.

« Papa, es-tu là ? Es-tu là ? criai-je. C'est Danny ! »

Je demeurai figé, les oreilles grandes ouvertes. Dans le silence qui suivit, j'entendis, ou crus entendre, le son faible, très faible, d'une voix humaine.

Je restai cloué sur place, l'oreille tendue.

Oui, je l'entendais de nouveau.

Je partis en courant dans la direction de la voix.

« Papa ! m'écriai-je. C'est Danny, où es-tu ? »

Je m'arrêtai une nouvelle fois et écoutai.

Cette fois-ci la réponse me parvint assez nettement pour que j'en saisisse les mots :

« Je suis ici ! criait la voix. Par ici ! »

C'était lui.

J'étais si heureux que mes jambes se mirent à flageoler.

« Où es-tu, Danny ? cria mon père.

— Je suis ici, papa. J'arrive. »

En m'éclairant avec ma torche, je courus en direction de la voix. Les arbres dans cette partie du bois étaient plus grands et plus espacés. Le sol était recouvert d'un tapis de feuilles mortes de l'année précédente qui amortissait ma foulée. Je n'appelais plus, je courais droit devant moi.

Et puis soudain, sa voix surgit devant moi :

« Stop, Danny, stop ! » cria-t-il.

Je m'arrêtai net. Je balayai le sol du faisceau de ma lampe sans parvenir à découvrir mon père.

« Où es-tu, papa ?

— Je suis dans une fosse. Avance doucement. Surtout prends bien garde de ne pas y tomber. »

J'avançai en rampant. Puis je vis la fosse. Je m'approchai du bord et dirigeai ma torche vers le fond du gouffre. Mon père s'y trouvait, assis sur le sol. Il leva les yeux et dit :

« Eh ! mon trésor, merci d'être venu.

— Tu es blessé, papa ?

— Je crois que je me suis brisé la cheville dans la chute », dit-il.

La fosse, de forme carrée, avait environ un mètre quatre-vingts de côté. Mais le plus impressionnant, c'était sa profondeur, qui excédait les trois mètres cinquante. Ses parois avaient été creusées à la verticale, probablement par une pelle mécanique, si bien qu'il était impossible d'en sortir sans aide.

« Tu souffres ?

— Oui, beaucoup, répondit-il. Mais c'est sans

importance. Ce qui compte, c'est que *j'en sorte avant l'aube.* Les gardes savent que je suis ici et dès qu'il fera jour, ils reviendront me chercher.

— Est-ce qu'ils ont creusé cette fosse exprès pour que les gens y tombent ? demandai-je.

— Oui », répondit-il.

Je dirigeai ma lampe vers les bords de la fosse et éclairai les branchages et les feuilles mortes dont les gardes s'étaient servis pour la dissimuler. Mon père avait marché dessus et tout s'était effondré sous lui. C'était le genre de piège que les chasseurs utilisaient en Afrique pour capturer les animaux sauvages.

« Les gardes savent-ils qui tu es ? demandai-je.

— Non, répondit-il. Il y en a deux qui sont venus. Ils ont braqué une torche sur moi, mais j'ai caché mon visage au creux de mon bras et ils ne m'ont pas reconnu. Je les ai entendus avancer plusieurs noms, mais ils n'ont pas prononcé le mien. L'un d'eux m'a crié : « On verra bien demain matin « qui tu es, mon gaillard. Et devine un peu qui « viendra nous aider à te sortir de là ? » Je n'ai rien dit pour ne pas qu'ils entendent ma voix. Alors l'autre garde a dit : « Eh bien, on va te « dire qui c'est qui va venir. C'est M. Victor « Hazell en personne, qui va nous accompagner pour « te souhaiter le bonjour. » Et il a ajouté : « Mon « vieux, j'en ai froid dans le dos quand je pense « à ce qu'il te fera quand il te mettra la main des- « sus ! » Ils ont éclaté de rire tous les deux et puis ils sont partis. Ouille ! Ma pauvre cheville !

— Les gardes sont partis, papa ?

— Oui, dit-il. Ils sont partis pour la nuit. »

J'étais agenouillé au bord de la fosse et je brûlais d'envie de sauter dedans pour aller le réconforter, ce qui aurait été une véritable folie.

Les gardes ont braqué une torche.

« Quelle heure est-il ? demanda-t-il. Dirige ta torche vers moi que je puisse voir. »

Je le fis.

« Il est trois heures moins dix, dit-il. Il faut que je sorte d'ici avant le lever du soleil.

— Papa, dis-je.

— Oui ?

— J'ai amené la voiture. Je suis venu avec l'Austin Baby.

— *Qu'est-ce que tu as fait ?* s'écria-t-il.

— Je voulais arriver plus vite, alors je l'ai sortie de l'atelier et je l'ai conduite jusqu'ici. »

Il demeura assis, les yeux rivés sur moi. J'évitais de pointer ma torche sur lui pour ne pas l'éblouir.

« C'est vrai que tu as conduit l'Austin Baby jusqu'ici ?

— Oui.

— Tu es fou, fit-il. Tu es fou à lier.

— Ça n'a pas été très difficile, dis-je.

— Tu aurais pu te tuer, dit-il. Tu aurais été réduit en bouillie, si tu avais eu un accident dans cette petite voiture.

— Tout a bien marché, papa.

— Où l'as-tu laissée ?

— Sur le chemin défoncé qui longe le bois. »

Son visage crispé par la douleur était blanc comme un linge.

« Ça va ? demandai-je.

— Oui, dit-il. Ça va. »

Il n'arrêtait pas de frissonner bien que la nuit fût plutôt chaude.

« Si nous réussissons à te sortir de là, je suis sûr que je pourrais t'aider à aller jusqu'à la voiture, dis-je. Tu pourrais t'appuyer sur moi et avancer en sautillant sur une jambe.

— Jamais je ne pourrai quitter ce trou sans une échelle, dit-il.

— Et une corde, ça irait ? demandai-je.

— Une corde ! s'exclama-t-il. Oui, bien sûr ! Une

76

corde ça suffirait. Il y en a une dans l'Austin. Elle est sous la banquette arrière. M. Pratchett en ·emporte toujours une pour se faire remorquer au cas où il tomberait en panne.

— Je vais la chercher, dis-je. Je reviens tout de suite, papa. »

Je l'abandonnai et, m'éclairant avec la torche, je refis en sens inverse le chemin que j'avais pris en venant. Je retrouvai la voiture, soulevai la banquette arrière et pris la corde, qui était emmêlée avec le cric et la manivelle. La corde jetée sur l'épaule, je franchis une nouvelle fois la haie et partis en courant dans le bois.

« Où es-tu, papa ? appelai-je.

— Par ici », répondit-il.

Guidé par sa voix, je n'eus aucun mal à le retrouver.

« J'ai la corde, dis-je.

— Très bien. Maintenant, attache l'une de ses extrémités à l'arbre le plus proche. »

Toujours à la lumière de ma torche, je nouai la corde comme il me l'avait indiqué. J'envoyai l'autre bout à mon père dans la fosse. Il l'agrippa et se redressa en tirant avec les deux bras. Il se tenait sur la jambe droite.

Il pliait la gauche pour que sa cheville ne touche pas le sol.

« Ouille ! s'exclama-t-il. Ça fait mal.

— Ça va aller, papa ?

— Il faudra bien, dit-il. Est-ce que la corde est bien attachée ?

— Oui. »

J'étais allongé sur le ventre et laissais pendre mes bras à l'intérieur de la fosse. Je voulais être prêt à aider mon père en le tirant dès qu'il arriverait à ma portée. J'éclairais en permanence chacun de ses gestes.

« Il va falloir que je grimpe à la force des bras, dit-il.

— Tu y arriveras », lui dis-je.

Je vis ses phalanges se crisper lorsqu'il empoigna la corde. Puis il commença à s'élever, une main après l'autre, et dès qu'il fut à portée de mes mains je saisis l'un de ses bras et tirai de toutes mes forces. Il franchit le bord de la fosse en glissant sur la poitrine et sur le ventre. Il tirait sur la corde et moi sur son bras. Il demeura allongé sur le sol en haletant bruyamment.

« Tu as réussi ! dis-je.

— Laisse-moi me reposer un instant. »

J'attendis, agenouillé à ses côtés.

« C'est bon, dit-il. Passons à la seconde étape. Aide-moi, Danny. C'est toi qui vas faire le plus gros du travail à partir de maintenant. »

Je l'aidai à trouver son équilibre tandis qu'il se dressait sur sa jambe valide.

« De quel côté préfères-tu que je me mette ? demandai-je.

— Du côté droit, autrement, tu cogneras sans arrêt contre ma mauvaise cheville. »

Je me plaçai sur sa droite et il posa ses deux mains sur mes épaules.

« Vas-y, papa, dis-je. Tu peux t'appuyer plus fort sur moi.

— Dirige la torche devant nous pour que nous puissions voir où nous allons », dit-il.

Ce que je fis.

Il fit deux petits bonds en avant sur son pied droit pour éprouver la technique.

« Ça ira ? lui demandai-je.

— Oui, répondit-il. Allons-y. »

Le pied gauche au ras du sol, il commença à avancer en sautillant sur une jambe et en s'appuyant sur moi à deux mains. Serré contre lui, j'avançais à petits pas en tâchant d'aller à l'allure qui lui convenait le mieux.

« Préviens-moi quand tu voudras te reposer.

— Maintenant », dit-il.

Nous nous arrêtâmes.

« J'ai besoin de m'asseoir », dit-il.

Je l'aidai à se baisser. Son pied gauche pendait lamentablement de sa cheville brisée et chaque fois qu'il touchait le sol mon père sursautait de douleur. Je m'assis près de lui sur les feuilles brunes qui recouvraient le sol du bois. La sueur ruisselait sur son visage.

« Est-ce que ça fait vraiment très mal, papa ?

— Oui, quand je sautille, dit-il. A chaque bond, j'en vois trente-six chandelles. »

Il se reposa plusieurs minutes, assis à même le sol.

« Essayons une nouvelle fois », dit-il.

Je l'aidai à se relever et nous recommençâmes à avancer. Cette fois-ci, je glissai un de mes bras autour de sa taille pour le soutenir plus efficacement. Il passa son bras droit autour de mes épaules et s'appuya sur moi de presque tout son poids. C'était mieux comme ça. Mais qu'est-ce qu'il pouvait être lourd ! Mes jambes pliaient et fléchissaient à chaque bond.

*Vas-y, papa, tu
peux t'appuyer sur moi.*

Hop...

Hop...

Hop...

« Continue, dit-il d'une voix haletante. Du courage, nous y arriverons.

— Voilà la haie, dis-je en braquant ma lampe dessus. Nous y sommes presque. »

Hop...

Hop...

Hop...

A l'instant où nous atteignîmes la haie, mes jambes se dérobèrent sous moi et nous nous étalâmes sur le sol.

« Je suis désolé, dis-je.

— C'est sans importance. Peux-tu me donner un coup de main pour traverser la haie ? »

Je serais incapable de dire comment lui et moi parvînmes à passer à travers cette haie. Il rampa un peu, je le tirai un peu et, petit à petit, nous nous faufilâmes de l'autre côté pour nous retrouver sur le chemin de terre à une dizaine de mètres à peine de la petite voiture.

Nous nous assîmes sur l'herbe du talus pour reprendre notre souffle. Selon la montre de mon père, il était près de quatre heures du matin. Le soleil ne se lèverait que deux heures plus tard, nous avions donc beaucoup de temps devant nous.

« Tu veux que je conduise ? demandai-je.

— Il faudra bien, dit-il. Je n'ai qu'un seul pied. »

Je l'aidai à gagner la voiture à cloche-pied et, après bien des efforts, il parvint à se glisser à l'intérieur. Sa jambe gauche était repliée sous la droite, ce qui devait le faire souffrir atrocement. Je m'installai à ses côtés, sur le siège du conducteur.

« La corde ! m'exclamai-je soudain. Nous l'avons oubliée là-bas.

— Laisse tomber, dit-il. Ça n'a aucune espèce d'importance. »

Je mis le moteur en marche et allumai mes lanternes. Je passai en marche arrière, fis demi-tour et, quelques instants après, nous descendions la colline sur le chemin cahoteux.

« Avance lentement, Danny, dit mon père. Ça fait un mal de chien quand on passe sur une bosse. »

Il avait posé une main sur le volant et m'aidait à diriger la voiture.

Nous atteignîmes le bas du chemin et tournâmes sur la route.

« Tu te débrouilles bien, dit-il. Continue comme ça. »

Comme nous étions sur la route, je passai en seconde.

« Accélère un peu et passe en troisième, dit-il. Veux-tu que je t'aide ?

— Je crois que je m'en sortirai tout seul. »

Je passai en troisième.

La main de mon père posée sur le volant, je n'avais plus peur de me jeter contre une haie ou autre chose et j'appuyai sur l'accélérateur. L'aiguille du compteur grimpa à soixante-cinq.

Un gros véhicule aux phares éblouissants se précipita soudain dans notre direction.

« Lâche le volant, je vais le prendre », dit mon père.

Il maintint la petite voiture bien à gauche de la

chaussée tandis qu'un gros camion de ramassage laitier nous croisait. Ce fut le seul véhicule que nous rencontrâmes sur le chemin du retour.

Alors que nous approchions de la station, mon père me dit :

« Il va falloir que j'aille à l'hôpital pour qu'on réduise la fracture et qu'on me plâtre la cheville.

— Combien de temps resteras-tu à l'hôpital ?

— Ne t'en fais pas, je serai de retour avant ce soir.

— Et tu pourras marcher ?

— Oui. Ils posent un petit bout de métal qui dépasse du plâtre sous le pied et qui permet de marcher.

— Tu ne crois pas que nous devrions aller à l'hôpital directement ?

— Non, dit-il. Je vais m'étendre sur le sol de l'atelier et attendre une heure normale pour appeler le docteur Spencer. Il s'occupera de tout.

— Appelle-le tout de suite, dis-je.

— Non. Je n'aime pas tirer les docteurs du lit à quatre heures du matin. Nous l'appellerons à sept heures.

— Comment vas-tu lui expliquer ce qui t'est arrivé, papa ?

— Je lui dirai la vérité, dit mon père. Le docteur Spencer est un ami. »

Nous arrivâmes à la station-service et je garai la voiture tout contre les portes de l'atelier. J'aidai ensuite mon père à descendre de voiture, puis, un bras autour de sa taille, je l'aidai à pénétrer dans l'atelier.

Une fois à l'intérieur, il s'appuya contre l'établi et me donna le reste de ses instructions.

Je commençai par étaler quelques feuilles de journal sur le sol graisseux, puis je courus chercher deux couvertures et un oreiller dans la roulotte. Je jetai l'une des couvertures sur le papier dont

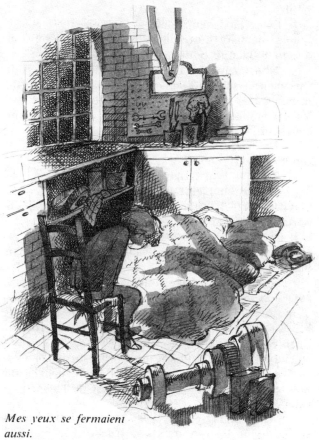

Mes yeux se fermaient aussi.

j'avais recouvert le sol. J'aidai mon père à s'étendre dessus, puis je lui mis un oreiller sous la tête et le couvris avec la seconde couverture.

« Pose le téléphone sur le sol à ma portée », dit-il.

Je fis ce qu'il demandait.

« Puis-je faire autre chose pour toi, papa ? Est-ce que tu veux une boisson chaude ?

— Non, merci, dit-il. Je ne dois rien absorber. Je vais bientôt subir une anesthésie et avant il ne faut ni manger ni boire. Mais, prends quelque chose, toi. Va te préparer un petit déjeuner et puis ensuite couche-toi.

— J'aimerais attendre l'arrivée du docteur près de toi, dis-je.

— Tu dois être fatigué, Danny.

— Je suis en pleine forme », affirmai-je.

Ayant déniché une vieille chaise en bois, je la portai près de lui et m'assis dessus.

Il ferma les yeux et parut s'assoupir.

Mes yeux se fermaient aussi. Je ne parvenais pas à les garder ouverts.

« Je suis désolé que tout ait si mal tourné », l'entendis-je dire.

Je dus m'endormir juste après, car la phrase suivante que j'entendis fut prononcée par le docteur Spencer, qui disait à mon père :

« Bonté divine, William, que t'est-il arrivé ? »

J'ouvris les yeux et aperçus le docteur penché sur mon père, toujours étendu sur le sol de l'atelier.

Le docteur Spencer

Mon père m'avait dit un jour que le docteur Spencer soignait les gens de notre canton depuis près de quarante-cinq ans. Lui-même en avait soixante-dix bien sonnés et il aurait pu être à la retraite depuis longtemps. Mais il ne souhaitait pas se retirer et ses patients ne souhaitaient pas non plus le voir partir. Les mains, les pieds, la figure ronde : tout était menu chez ce petit bonhomme. Son visage était de surcroît brun et ridé comme une pomme ratatinée. Chaque fois que je le voyais, je me disais qu'il faisait penser à une sorte de lutin d'autrefois avec ses cheveux blancs en bataille et ses lunettes cerclées d'acier ; un petit lutin alerte et facétieux, à l'œil vif, au sourire éclatant et à la parole rapide. Il n'intimidait personne. Beaucoup de gens l'aimaient, plus particulièrement les enfants, qui appréciaient sa douceur.

« Quelle cheville ? demanda-t-il.

— La gauche », dit mon père.

Le docteur Spencer s'agenouilla sur le sol et sortit de son sac une grande paire de ciseaux. Puis, à mon grand étonnement, il découpa le pantalon de mon père jusqu'au genou. Il écarta le tissu et examina la cheville sans y toucher. Je regardai aussi. Le pied semblait tordu du mauvais côté et il y avait une grosse bosse sous la cheville.

« C'est une mauvaise fracture, annonça le docteur Spencer. Il vaut mieux t'hospitaliser sans perdre de temps. Je peux téléphoner ? »

Il appela l'hôpital et demanda une ambulance. Je l'entendis ensuite discuter de radiographies et d'une opération avec une autre personne.

« Est-ce que tu as très mal ? demanda le docteur Spencer. Veux-tu quelque chose pour calmer la douleur ?

— Non, répondit mon père. J'attendrai jusqu'à l'hôpital.

— Comme tu voudras, William. Mais comment diable as-tu fait ton compte ? Serais-tu tombé dans l'escalier de cette roulotte de malheur ?

— Non, dit mon père, pas exactement. »

Le docteur attendait la suite, moi aussi.

« A vrai dire, commença-t-il doucement, j'étais plutôt en train de braconner dans Hazell's Wood... »

Il marqua un temps d'arrêt et regarda le docteur, qui était toujours agenouillé près de lui.

« Ah ! dit celui-ci. Oui, je vois. Et comment est-ce là-bas maintenant ? Beaucoup de faisans ?

— Des tas, répondit mon père.

« — Quel beau sport, que le braconnage ! soupira le docteur Spencer. J'aimerais être encore assez jeune pour m'y adonner ! »

Il leva les yeux et vit que je le regardais avec étonnement.

« Tu ignorais que moi aussi j'avais un peu braconné, n'est-ce pas, Danny ?

— Oui, avouai-je, complètement abasourdi.

— Souvent, poursuivit le docteur Spencer, après les consultations du soir, je m'éclipsais du dispensaire par la porte de derrière et je partais à travers champs vers l'un de mes terrains de chasse secrets. Quand je ne chassais pas le faisan, je pêchais la truite. Les ruisseaux regorgeaient de grosses truites fario en ce temps-là. »

J'étais à genoux sur le sol près de mon père.

« Ne remue pas, lui dit le docteur. Bouge le moins possible. »

Mon père ferma un instant ses yeux fatigués, puis il les rouvrit.

« Quelle méthode utilisiez-vous pour le faisan ?

— Les grains de raisin trempés dans le gin, répondit le docteur Spencer. Je les faisais macérer pendant une semaine entière avant d'aller les semer dans les bois.

— Ça ne marche pas, dit mon père.

— A qui le dis-tu ! reconnut le docteur. Mais c'était quand même très amusant.

— Un faisan doit avaler seize grains de raisin à lui tout seul avant d'être assez pompette pour se laisser capturer, dit mon père. Mon père a fait l'expérience sur des coqs.

— Je veux bien te croire, dit le docteur, car je

n'en ai jamais capturé un seul. Les truites, en revanche, c'était une autre histoire. Sais-tu comment on s'y prend pour attraper une truite sans canne à pêche, Danny?

— Non, dis-je. Comment fait-on?

— Il faut la chatouiller.

— La *chatouiller*?

— Oui, dit le docteur. La truite, vois-tu, aime se tenir immobile près de la berge. Il faut donc avancer en tapinois le long du bord jusqu'à ce que tu en repères une grosse qui te tourne le dos. Tu t'allonges alors sur le ventre et, lentement, très lentement, tu plonges la main dans l'eau, tu la glisses sous elle par-derrière et tu commences à lui caresser le ventre du bout du doigt.

— Elle se laisse vraiment faire? demandai-je.

— Elle adore ça, dit le docteur. Elle aime tellement ça qu'elle s'endort littéralement. Dès qu'elle commence à somnoler, tu la saisis à pleines mains et tu l'expédies sur la berge.

— Ce truc-là marche, dit mon père. Mais il n'y a que les grands artistes qui le réussissent. Je vous tire mon chapeau, maître.

— Merci, William », dit le docteur Spencer d'un air grave.

Il se releva et alla à la porte de l'atelier pour voir si l'ambulance arrivait.

« Au fait, dit-il par-dessus son épaule, que s'est-il passé au juste dans les bois? Tu as mis le pied dans un terrier de lapin?

— C'était légèrement plus grand comme trou, dit mon père.

— Que veux-tu dire? »

Mon père lui raconta comment il était tombé dans cette fosse gigantesque.

Le docteur Spencer se retourna vivement et le regarda, les yeux écarquillés.

« Je n'en crois pas mes oreilles ! s'exclama-t-il.

— C'est la pure vérité. Demandez à Danny.

— Elle était profonde, dis-je. Horriblement profonde.

— Juste Ciel ! s'écria le petit docteur, en sautant sur place de colère. Il n'a pas le droit de faire des choses pareilles ! Victor Hazell ne peut pas se mettre à creuser dans les bois des pièges à tigres pour les êtres humains ! Je n'ai jamais entendu parler de pratiques plus infâmes et plus monstrueuses de toute mon existence.

— C'est assez révoltant, admit mon père.

— C'est pire que ça, William ! C'est diabolique ! Tu sais ce que cela signifie ! Cela veut dire que les braves gens comme toi et moi ne peuvent plus sortir s'amuser un peu la nuit sans risquer de se briser une jambe, un bras ou même le cou ! »

Mon père hocha la tête.

« Je ne l'ai jamais aimé ce Victor Hazell, dit le docteur Spencer. Une fois, je l'ai vu se comporter de façon inqualifiable.

— Qu'a-t-il fait ? demanda mon père.

— Il avait rendez-vous avec moi à mon cabinet. Je devais lui faire une piqûre. Je ne me souviens plus quoi exactement. Toujours est-il que je me trouvais par hasard à ma fenêtre lorsqu'il est arrivé chez moi au volant de sa grosse Rolls-Royce. Je l'ai regardé descendre de voiture et se diriger vers le perron où dormait mon vieux chien Bertie. Et savez-vous ce

que Victor Hazell, cet individu méprisable, a fait ?
Au lieu d'enjamber le vieux Bertie, il l'a chassé de son
chemin d'un coup de botte.

— Il n'a pas fait ça, tout de même ! s'est écrié
mon père.

— Oh ! je t'assure qu'il ne s'est pas gêné.

— Et vous, qu'avez-vous fait ?

— Je l'ai laissé mijoter dans la salle d'attente
pour chercher l'aiguille la plus vieille et la plus
émoussée de mon cabinet, que j'ai limée avec une
lime à ongles pour l'épointer encore plus. Quand j'ai
eu terminé avec, mon aiguille n'était guère plus
pointue qu'un stylo à bille. Alors j'ai fait entrer
M. Hazell, je lui ai fait baisser son pantalon et
lui ai demandé de se pencher en avant. Quand j'ai
enfoncé l'aiguille dans son gros derrière, il a hurlé
comme un goret qu'on égorge.

— Bien joué, dit mon père.

— Il n'est jamais revenu me voir depuis, dit le
docteur Spencer. Et c'est tant mieux. Ah ! voici
l'ambulance. »

L'ambulance vint se garer près de l'atelier et deux
hommes en sortirent.

« Donnez-moi une attelle », dit le docteur.

L'un des deux hommes retourna chercher une fine
planchette de bois dans l'ambulance. Le docteur Spencer s'agenouilla à nouveau près de mon père et fit
doucement glisser la planchette sous sa jambe gauche.
A l'aide d'un bandage, il les plaqua ensuite fermement
l'une contre l'autre. Les ambulanciers apportèrent une
civière qu'ils posèrent sur le sol. Mon père s'y installa
tout seul.

J'étais toujours assis sur ma chaise. Le docteur

Spencer vint vers moi et me posa une main sur l'épaule.

« Tu ferais bien de m'accompagner à la maison, jeune homme, dit-il. Tu pourras rester chez nous jusqu'à ce que ton père quitte l'hôpital.

— Il ne rentrera pas aujourd'hui ? demandai-je.

— Si, répondit mon père. Je serai de retour ce soir.

— Je préférerais que tu passes la nuit à l'hôpital, dit le docteur Spencer.

— Je rentrerai ce soir, répondit mon père. Merci d'avoir offert l'hospitalité à Danny, mais ça ne sera pas nécessaire. Il sera très bien ici en attendant mon retour. De toute façon, je pense qu'il dormira pendant la plus grande partie de la journée, n'est-ce pas, mon grand ?

— J'en ai l'impression, dis-je.

— Ferme la station et va te coucher, d'accord ?

— Oui, mais reviens vite, hein, papa ? »

On l'installa dans l'ambulance, dont les portes furent refermées. Je restai devant l'atelier en compagnie du docteur Spencer et regardai la grosse voiture blanche quitter la station-service.

« As-tu besoin d'un coup de main ? demanda le docteur Spencer.

— Non, tout va bien, merci.

— Alors, au lit et tâche de bien dormir.

— D'accord.

— N'hésite pas à me téléphoner, si tu avais besoin de quoi que ce soit.

— C'est promis. »

Le fantastique petit docteur regagna sa voiture et partit sur la route dans la même direction que l'ambulance.

La grande partie
de chasse

Dès que le docteur eut quitté la station-service au volant de son automobile, j'allai au bureau chercher la pancarte qui disait « Fermé » et l'accrochai à l'une des pompes. Ensuite, je gagnai directement la roulotte. J'étais trop épuisé pour me déshabiller. Je n'ôtai même pas mes vieux tennis sales. Je m'écroulai d'un seul bloc sur le lit et m'endormis. Il était huit heures cinq du matin.

A six heures et demie du soir, soit plus de dix heures plus tard, je fus réveillé par les ambulanciers qui ramenaient mon père de l'hôpital. Ils le transportèrent dans la roulotte et l'allongèrent sur la couchette du bas.

« Salut, papa, dis-je.

— Salut, Danny.

— Comment te sens-tu ?

— Un peu vaseux », dit-il, avant de sombrer dans le sommeil en quelques secondes.

L'ambulance s'éloignait lorsque le docteur Spencer

arriva. Il monta directement dans la roulotte pour examiner son patient.

« Il va dormir jusqu'à demain matin, dit-il. Il se sentira très bien au réveil. »

Je raccompagnai le docteur jusqu'à sa voiture.

« Je suis très heureux qu'il soit de retour », dis-je.

Le docteur ouvrit la portière de la voiture, mais n'y monta pas. Il me regarda avec beaucoup de gravité et me demanda :

« Quand as-tu mangé pour la dernière fois, Danny ?

— Mangé ? dis-je. Oh !... eh bien... j'ai mangé... heu... » Je m'aperçus soudain que je n'avais rien mangé depuis un bon bout de temps déjà. Je n'avais rien avalé depuis le dîner en compagnie de mon père le soir précédent. Il y avait plus de vingt-quatre heures.

Le docteur Spencer se pencha à l'intérieur de sa voiture et en sortit un gros paquet rond enveloppé dans du papier sulfurisé.

« Ma femme m'a chargé de te remettre ça, dit-il. Je crois que tu aimeras, car c'est une excellente cuisinière. »

Il me tendit le paquet, sauta dans son véhicule et s'éloigna rapidement.

Je restai planté là, serrant fort cette grosse chose ronde entre mes mains. Je regardai la voiture du docteur s'éloigner sur la route et disparaître au premier tournant. Je demeurai encore un instant absorbé dans la contemplation de la route déserte.

Au bout d'un petit moment, je tournai les talons et regagnai la roulotte en emportant mon précieux paquet. Je le déposai au milieu de la table, mais ne le déballai pas tout de suite.

Étendu sur la couchette, mon père était plongé dans

un profond sommeil. Il portait un pyjama d'hôpital à bandes marron et bleues. Je m'approchai de lui et soulevai délicatement la couverture pour voir ce qu'ils lui avaient fait. Un plâtre blanc et dur recouvrait la partie inférieure de sa jambe et l'ensemble de son pied, laissant les orteils libres. Il y avait un drôle de petit truc en métal qui dépassait du plâtre sous le pied, sans doute pour lui permettre de marcher. Je laissai retomber la couverture et retournai à la table.

Très soigneusement, je commençai à défaire l'emballage de papier sulfurisé qui enveloppait le cadeau du docteur. Cela fait, j'eus sous les yeux le plus gros et le plus magnifique pâté en croûte du monde. Il était recouvert partout : en haut, en bas et sur les côtés, d'une croûte riche et dorée. Je pris un couteau sur l'évier et m'en coupai une part. Je commençai à le manger avec les doigts, sans même prendre le temps de m'asseoir. La viande tendre et rose du pâté n'était pas grasse et elle avait été soigneusement désossée. Elle renfermait de surcroît des œufs, qui y avaient été enfouis en divers endroits comme autant de trésors. C'était succulent. Après la première part, j'en coupai une seconde que je dévorai. Béni soit le docteur Spencer, pensai-je. Et bénie soit également Mme Spencer.

Le matin suivant, un lundi, mon père se leva à six heures.

« Je me sens en pleine forme, m'annonça-t-il en se mettant à clopiner dans la roulotte pour mettre sa jambe à l'épreuve. Je ne souffre presque plus ! s'écria-t-il. Je vais pouvoir t'accompagner à l'école !

— Non, dis-je. Pas question !

— Je ne t'ai jamais laissé y aller seul, Danny.

— Ça fait plus de six kilomètres aller et retour, dis-je. Ne viens pas, je t'en prie, papa. »

Ce jour-là j'allai seul à l'école. Mais dès le lendemain, il insista pour m'accompagner. Je ne parvins pas à l'en dissuader. Il avait enfilé une chaussette de laine par-dessus son plâtre pour garder ses orteils au chaud. Celle-ci avait un trou sous le pied pour laisser passer le bout de métal. La démarche de mon père était un peu raide, mais elle n'avait rien perdu de sa rapidité. Le bout de métal cliquetait à chaque fois qu'il le posait sur la route.

La vie redevint donc normale, ou presque, à la station-service. Je dis « presque » parce que, indéniablement, les choses n'étaient plus tout à fait ce qu'elles avaient été. Mon père avait changé. Pas beaucoup, mais j'étais sûr que quelque chose le turlupinait. Il était fréquemment maussade et il y avait des silences entre nous, surtout le soir au dîner. De temps en temps, je le surprenais, debout et immobile devant la station, les yeux tournés en direction de Hazell's Wood.

J'eus à maintes reprises envie de lui demander ce qui n'allait pas et nul doute que, si je l'avais fait, il me l'aurait dit aussitôt. Je m'abstins néanmoins de le faire, car je savais que je l'apprendrais tôt ou tard.

Je n'eus pas à attendre très longtemps.

Cela se passa une dizaine de jours après son retour de l'hôpital. Nous étions assis tous les deux sur la plate-forme de la roulotte et nous regardions le soleil se coucher derrière les grands arbres au sommet de la colline sur l'autre versant de la vallée. Nous avions dîné, mais il n'était pas encore l'heure d'aller me coucher. Cette soirée de septembre était douce, belle et très calme.

« Tu sais, il y a quelque chose qui me rend complètement fou en ce moment, dit-il tout à coup. Quand je me lève le matin, je me sens tout à fait en forme. Et puis, chaque jour de la semaine sur le coup de neuf heures, la grosse Rolls-Royce argentée passe en trombe devant la station et j'aperçois la grosse figure bouffie de M. Victor Hazell derrière son volant. Ça ne manque jamais et pourtant je ne le fais pas exprès. Et quand il passe, il tourne toujours la tête vers moi et me regarde. Son sourire méprisant et sa petite grimace de suffisance, que je n'entrevois que l'espace de trois secondes à peine, ont le don de me mettre en rage. Le pire, c'est qu'ensuite je ne décolère pas de la journée.

— Je comprends ça », lui dis-je.

Un silence tomba entre nous. J'attendis pour voir ce qu'il allait dire.

« Je vais te confier quelque chose d'intéressant, finit-il par m'annoncer. La saison de chasse au faisan commence samedi. Tu le savais ?

— Non, papa. Je l'ignorais.

— Elle commence toujours le 1er octobre, dit-il. Et chaque année M. Hazell fête l'ouverture en donnant une grande chasse. »

Je me demandais quel était le rapport avec les colères de mon père, tout en étant sûr qu'il y en avait effectivement un.

« C'est un événement mondain très couru, cette chasse de M. Hazell, Danny.

— Est-ce qu'il y vient beaucoup de monde ? demandai-je.

— Des tas de gens, répondit mon père. Il en vient de toute la région. Des ducs et des lords, des barons et des baronnets, des hommes d'affaires fortunés, bref tout le beau monde du comté. Ils arrivent avec leurs fusils, leurs chiens, leurs femmes et toute la journée la vallée résonne de leurs coups de fusil. Mais ce n'est pas par estime pour M. Hazell qu'ils viennent. Dans leur for intérieur, ils le méprisent tous. Ils pensent tous que c'est un sale bonhomme.

— Alors pourquoi acceptent-ils son invitation, papa ?

— Parce qu'il possède la plus belle chasse de faisans de tout le sud de l'Angleterre, voilà pourquoi ils acceptent son invitation. Pour M. Hazell, ce jour-là est le plus beau de l'année et il est prêt à y mettre le prix pour que ce soit une réussite. Ces faisans lui coûtent une fortune. Chaque été, il achète des centaines de jeunes oiseaux dans un élevage et il les fait mettre dans ses bois, où ses gardes les nourrissent et les font engraisser en prévision du grand jour. Est-ce que tu sais, Danny, que l'élevage d'un seul des faisans qui seront tirés équivaut au prix d'une centaine de pains ?

— Pas possible !

— Je te le jure, dit mon père. Mais pour M. Hazell, ce n'est pas trop cher payer. Et tu sais pourquoi ? Parce que ça lui permet de se donner de l'importance. Une journée par an, il devient un gros bonnet dans un cercle restreint et le duc de Machin-Chouette — lui-même — le traite en familier, même si un moment plus tard il doit faire un effort pour se rappeler son prénom en prenant congé de lui. »

Mon père tendit une main et se mit à gratter son plâtre juste sous le genou gauche.

« Ça me démange, dit-il. La peau me démange sous le plâtre. Alors je gratte le plâtre en me disant que c'est la peau que je gratte.

— Et ça soulage ?

— Non, dit-il. Ça ne soulage pas. Mais écoute, Danny...

— Oui, papa ?

— Je vais te dire quelque chose. »

Il recommença à gratter son plâtre. J'attendis la suite de sa confidence.

« Je vais te dire ce que j'aimerais le plus faire en ce moment précis. »

Ça y est, pensai-je. Il va m'annoncer quelque chose de phénoménal et d'insensé. Je le voyais à la tête qu'il faisait.

« C'est un très grand secret, Danny. »

Il marqua un temps d'arrêt et regarda autour de lui. Et, bien que selon toute probabilité il n'y eût pas à ce moment-là âme qui vive à trois kilomètres à la ronde, il se pencha vers moi et me chuchota :

« Je voudrais découvrir un moyen de capturer tous les faisans de Hazell's Wood pour qu'il n'en reste plus un seul à tuer le jour de l'ouverture.

— Papa ! m'écriai-je. Tu n'y penses pas !

— Chut ! dit-il. Écoute, si seulement je pouvais découvrir le moyen de faire main basse sur deux cents oiseaux d'un coup, la chasse de M. Hazell serait le fiasco le plus retentissant de l'histoire !

— Deux cents ! m'exclamai-je. *C'est impossible !*

— Imagine seulement le triomphe, la glorieuse victoire que ce serait, Danny ! poursuivit-il. Tous ces ducs, ces gens de la noblesse et ces célébrités qui s'amèneraient dans leurs grosses voitures et que M. Hazell accueillerait en se pavanant comme un paon et en leur disant des choses comme : « Cette « année, les bois sont pleins de faisans qui n'attendent « que vous, Lord Thistlethwaite », et : « Ah ! cher « Sir Godfrey, c'est une belle saison pour le faisan, « une très belle saison en vérité. » Et puis tout le monde prendrait sa place autour du bois, le fusil sous le bras. Pendant ce temps-là, les rabatteurs engagés pour l'occasion commenceraient à battre le bois en hurlant à tue-tête pour que les faisans, effrayés, aillent se jeter sur les tireurs postés. Mais, ô surprise ! il n'y aurait plus un seul faisan dans le bois ! Le visage de M. Victor Hazell deviendrait plus rouge qu'une betterave bouillie ! Tu ne crois pas que ce serait à la fois magnifique et stupéfiant de réussir un coup pareil, Danny ? »

Mon père était tellement excité qu'il se leva, descendit les marches de la roulotte et se mit à marcher de long en large devant moi.

« Magnifique, criait-il. N'est-ce pas que ce serait magnifique ?

— Pour sûr, répondis-je.

— Mais comment faire ? s'écria-t-il. Comment pourrait-on y arriver ?

— C'est impossible, papa. Il est déjà assez difficile de capturer *deux* oiseaux dans ce bois, alors *deux cents*, tu penses...

— Ça je le sais, dit mon père. Ce sont les gardes qui compliquent tout.

— Il y en a combien ? demandai-je.

102

*Tous ces ducs, ces gens de la noblesse
et ces célébrités que M. Hazell accueillerait
en se pavanant comme un paon.*

« — De gardes ? Trois, et ils sont en permanence dans le bois.

— Est-ce qu'ils y passent aussi la nuit ?

— Non, pas la nuit entière, dit mon père. Ils rentrent chez eux dès que les faisans se sont perchés sur les arbres, car personne, pas même mon propre père, le plus grand expert du monde, n'a découvert le moyen de capturer des faisans branchés. Il est l'heure d'aller te coucher, ajouta-t-il. Va te mettre au lit, je viendrai te raconter une histoire dans un moment. »

La Belle
au bois dormant

Cinq minutes plus tard, j'étais allongé sur ma couchette, en pyjama. Mon père entra et alluma la lampe à pétrole pendue au plafond. La nuit tombait de plus en plus tôt.

«Très bien, dit-il. Qu'est-ce que tu veux que je te raconte comme histoire, ce soir?

— Une minute, s'il te plaît, papa, dis-je.

— Qu'est-ce qui te prend?

— J'ai quelque chose à te demander. Je viens d'avoir une idée.

— Je t'écoute, dit-il.

— Tu sais, les somnifères que le docteur Spencer t'a donnés à ton retour de l'hôpital?

— Je n'y ai jamais touché. Toutes ces drogues ne m'inspirent guère confiance.

— D'accord, mais dis-moi, est-ce que ces capsules n'agiraient pas sur un faisan?»

Mon père remua tristement la tête de droite à gauche.

« Attends, dis-je.

— C'est sans espoir, Danny. Tu dois bien te douter que pas un faisan au monde n'avalerait une de ces sales petites pilules rouges.

— Tu oublies les grains de raisin, papa.

— Les grains de raisin ? Je ne vois pas le rapport.

— Écoute-moi, dis-je. Écoute-moi bien, je t'en prie. Nous prenons un grain de raisin et nous le mettons à tremper jusqu'à ce qu'il soit bien gonflé. A l'aide d'une lame de rasoir, nous faisons une fente dans le grain de raisin et nous l'évidons un peu. Nous prenons ensuite une de ces capsules rouges et nous versons la poudre qu'elle contient dans le grain de raisin. Enfin, nous recousons soigneusement celui-ci avec une aiguille et du fil... »

Du coin de l'œil, je vis que mon père commençait à ouvrir lentement la bouche.

« Maintenant, dis-je, le grain de raisin a l'air tout à fait normal, mais en réalité il contient une dose de somnifère qui endormira n'importe quel faisan. Qu'en penses-tu ? »

Mon père me regardait avec des yeux exorbités, comme s'il venait d'avoir une vision.

« Oh ! mon trésor, dit-il doucement. Oh ! Bon Dieu ! Tu as certainement trouvé ! J'en suis sûr et certain. »

Il s'étranglait sous l'effet de l'émotion et pendant quelques secondes il ne put plus articuler une seule parole. Il vint vers moi, s'assit au bord de ma couchette et demeura là, à hocher lentement la tête.

« Tu crois vraiment que ça marcherait ? demandai-je.

— Oui, affirma-t-il d'une voix calme. Ça marchera

comme sur des roulettes. Avec cette méthode, nous pourrons préparer *deux cents* grains de raisin et, tout ce que nous aurons à faire, ce sera d'aller les semer au crépuscule dans la clairière où on agraine les faisans et de nous en aller. Une demi-heure plus tard, la nuit tombée, les gardes auront quitté les bois et nous pourrons y retourner sans risque. Les pilules seront en train de faire leur effet et, dans les arbres, les faisans commenceront à avoir le tournis. Ils vacilleront et tenteront de conserver leur équilibre, mais bientôt tous les faisans qui auront avalé ne serait-ce *qu'un seul grain de raisin* s'endormiront et dégringoleront. Ma parole, ils tomberont des arbres comme des pommes ! Et nous n'aurons plus qu'à les ramasser !

— Est-ce que je pourrai t'accompagner, papa ?

— Le plus beau c'est que personne ne pourra nous soupçonner, dit mon père, sans m'entendre. Nous nous promènerons dans les bois et nous sèmerons le raisin sur notre chemin. Comme ça, même si nous étions surveillés par les gardes, ils ne remarqueraient rien.

— Papa, dis-je en élevant la voix. Tu me laisseras t'accompagner, dis ?

— Danny, mon chéri, dit-il en posant une main sur mon genou et en me fixant de ses grands yeux brillants comme des étoiles, si elle marche, cette méthode *révolutionnera* l'art du braconnage.

— C'est entendu, papa, mais est-ce que je pourrai t'accompagner ?

— M'accompagner ? dit-il, sortant enfin de son rêve. Mais bien sûr que tu pourras m'accompagner, mon chéri ! C'est ton idée ! Il est donc indispensable que tu assistes à sa mise en pratique ! Bon, eh bien, dit-il, où sont ces fameuses capsules ? »

Le petit flacon de pilules rouges était posé près de l'évier. Il était resté à la même place depuis que mon père était rentré de l'hôpital. Il alla le chercher, l'ouvrit et versa les pilules sur la couverture.

« On va les compter », dit-il.

Nous les comptâmes ensemble. Il y en avait exactement cinquante.

« Ce n'est pas assez, dit-il. Il en faudrait au moins deux cents. »

Puis, soudain, il s'écria :

« Attends, attends une minute ! Ça va aller ! »

Tout en remettant les pilules dans leur flacon, il m'expliqua :

« Il suffira de répartir la poudre d'une capsule dans quatre grains de raisin, Danny. Autrement dit, nous diviserons la dose par quatre. De cette façon, nous pourrons préparer deux cents grains de raisin.

— Mais est-ce qu'un quart de capsule suffira à endormir un faisan ? demandai-je.

— Sans l'ombre d'un doute, mon chéri. Fais toi-même le calcul. Un faisan est combien de fois plus petit qu'un homme ?

— Beaucoup, beaucoup de fois plus petit.

— Tu vois. Si une pilule suffit à endormir un homme adulte, il suffit d'une petite portion de cette même pilule pour venir à bout d'un faisan. Avec la dose que nous lui administrerons, le faisan sera étendu pour le compte ! Il ne s'apercevra même pas de ce qui lui arrive !

— Mais, papa, ce n'est pas parce que tu auras deux cents grains de raisin que tu attraperas deux cents faisans.

Mon père versa les pilules sur la couverture.

— Et pourquoi ça ?

— Parce que parmi les oiseaux tu en auras sans doute quelques-uns qui arriveront à avaler une dizaine de grains chacun.

— Tu as raison, dit-il. Je n'avais pas du tout pensé à ça. Mais je crois que ça marchera quand même. Il suffira que je prenne soin d'éparpiller les grains de raisin sur un vaste périmètre. Ne te casse pas la tête, Danny. Je suis sûr que je me débrouillerai.

— Et je te rappelle que tu as promis de m'emmener.

— Absolument, dit-il. Nous baptiserons cette méthode la « Belle au bois dormant ». Ce sera un événement capital dans l'histoire du braconnage. »

Très sagement assis sur ma couchette, je regardai mon père remettre les pilules dans le flacon. J'avais du mal à croire à ce qui arrivait. Ainsi, nous allions vraiment nous lancer dans cette aventure. Nous allions vraiment essayer de rafler d'un seul coup presque tous les beaux faisans d'élevage de M. Victor Hazell. Rien que d'y penser, je sentais des frissons me courir sur la peau.

« C'est chouette, hein ? dit mon père.

— Je n'ose même pas y penser, papa. Ça me donne la chair de poule.

— A moi aussi, dit-il. Mais nous devons garder notre sang-froid. Il faut que nous préparions notre plan avec une grande minutie. Aujourd'hui, nous sommes mercredi. La chasse est pour samedi prochain.

— Mais c'est dans trois jours à peine ! m'exclamai-je. Quand ferons-nous notre coup ?

— La veille au soir, dit mon père. C'est-à-dire vendredi. Comme ça, ils ne s'apercevront de la disparition des faisans qu'une fois la chasse commencée.

— Vendredi, c'est après-demain ! Il faudra drôlement faire vinaigre, si on veut préparer deux cents grains de raisin d'ici là, papa ! »

Mon père se leva et se mit à marcher de long en large dans la roulotte.

« Voici ce que nous allons faire, dit-il. Écoute-moi bien... Demain, c'est jeudi. Après t'avoir accompagné jusqu'à l'école, je passerai aux Magasins Stevens du village et j'y achèterai deux paquets de raisins secs sans pépins. Dans la soirée, nous les mettrons à tremper pour la nuit.

— Mais ça ne nous laisse que la journée de vendredi pour préparer les deux cents grains qu'il faudra ouvrir, remplir de poudre et recoudre un à un. Si par-dessus le marché je suis à l'école toute la journée...

— Mais tu n'iras pas à l'école, dit mon père. Vendredi, tu auras un mauvais rhume et je serai forcé de te garder à la maison.

— Chouette ! m'exclamai-je.

— Vendredi, nous n'ouvrirons pas la station de la journée, poursuivit-il. Nous nous enfermerons ici et nous préparerons les grains de raisin. A nous deux, nous n'aurons aucun mal à y arriver en une journée. Le soir, nous partirons pour Hazell's Wood. D'accord ? »

Il faisait penser à un général exposant son plan de bataille à son état-major.

« D'accord, répondis-je.

— Et surtout, Danny, pas un mot à tes camarades de classe.

— Tu sais très bien que je serai muet comme une carpe, papa ! »

Il me souhaita une bonne nuit, m'embrassa et alla baisser la lampe. Mais, ce soir-là, je fus long à m'endormir.

Le jeudi
à l'école

Le lendemain, nous étions jeudi et avant de partir pour l'école ce matin-là, j'allai derrière la roulotte et cueillis deux pommes à notre arbre, une pour mon père et une pour moi-même.

Pouvoir cueillir soi-même une pomme lorsqu'on a envie d'en croquer une est un privilège merveilleux. Bien sûr, ce n'est possible qu'en automne, quand le fruit est arrivé à maturité, mais tout de même, combien de familles ont-elles une pareille chance ? Je dirais qu'il n'y en a pas une sur mille. Nos pommes étaient des Orange Cox Pippins et je les aimais presque autant pour leur nom que pour leur saveur.

A huit heures, nous nous mîmes en route pour l'école sous le pâle soleil d'automne et, tout en marchant, nous commençâmes à croquer nos pommes.

Le bout de fer sous le plâtre de mon père cliquetait

à chaque fois qu'il entrait en contact avec l'asphalte. *Clic... clic... clic...*

« Tu as pensé à prendre de l'argent pour le raisin ? » demandai-je à mon père.

Il mit la main dans sa poche et fit tinter les pièces de monnaie.

« Tu crois que Stevens sera ouvert si tôt le matin ?

— Oui, dit-il. Ils ouvrent à huit heures et demie. »

J'aimais vraiment beaucoup ces trajets à pied le matin en compagnie de mon père. Nous discutions presque tout le long du chemin. La plupart du temps c'était lui qui parlait tandis que je me contentais d'écouter. Tout ce qu'il disait était passionnant. C'était vraiment un homme de la terre. Les champs, les ruisseaux, les bois et toutes les bêtes qui les peuplaient faisaient partie intégrante de sa vie. Il était mécanicien de profession et je peux dire qu'il était plutôt bon dans sa partie, mais il aurait tout aussi bien pu faire un grand naturaliste s'il avait fait les études pour ça.

Il m'avait appris depuis longtemps les noms des arbres, des fleurs des champs et des différentes plantes qui poussent dans les prés. Je connaissais également les noms de tous les oiseaux, que je savais identifier en les voyant mais aussi à leurs cris et à leurs chants.

Au printemps, nous cherchions toujours des nids sur notre chemin et, lorsque nous en découvrions un, il me prenait sur ses épaules pour que je puisse voir à l'intérieur et regarder les œufs qui s'y trouvaient. Jamais pourtant il ne me laissa y toucher.

Mon père disait qu'un nid plein d'œufs était l'une des plus belles choses au monde. C'était également mon avis. Prenez, par exemple, le nid de la grive musicienne. Il est tapissé à l'intérieur d'une couche de boue séchée aussi lisse que du bois poli et contient jusqu'à cinq œufs du bleu le plus pur moucheté de points noirs. Et le nid d'alouette que nous découvrîmes un jour, posé sur une motte de terre couverte d'herbe au beau milieu d'une pâture. Le petit trou que l'oiseau s'était ménagé au creux de l'herbe n'avait rien d'un nid, mais il n'en contenait pas moins de six petits œufs marron foncé et blanc.

« Pourquoi les alouettes font-elles leur nid quasiment sous les sabots des vaches ? avais-je demandé à mon père.

— Ça, personne n'en sait rien, avait-il répondu. Tout ce qu'on sait c'est qu'elles nichent toujours sur le sol, comme les rossignols, les faisans, les perdrix et les coqs de bruyère. »

Un jour que nous cheminions ainsi vers l'école, une belette surgit d'une haie juste sous nos yeux. En quelques minutes, j'appris alors tout ce qu'il y avait à apprendre sur cette remarquable petite créature. Je fus tout spécialement émerveillé quand mon père me dit :

« La belette est le plus courageux de tous les animaux. Une mère est capable de sacrifier sa vie pour défendre ses petits. Une belette ne se sauve jamais, pas même devant un renard, qui est pourtant cent fois plus gros qu'elle. Elle reste près de son terrier et tient tête au renard jusqu'à la mort. »

Un autre jour que je lui avais dit : « Tu entends cette sauterelle, papa ? », il m'avait repris et expliqué :

« Ce n'est pas une sauterelle, mon chéri. C'est un grillon. Est-ce que tu savais que les grillons portent leurs oreilles sur leurs pattes ?

— Pas possible !

— Absolument. Quant aux sauterelles, elles portent les leurs sur leurs flancs. Ces deux espèces ont beaucoup de chance d'avoir un sens de l'ouïe, car la plupart des très, très nombreuses espèces d'insectes de la terre sont sourdes et muettes et, par conséquent, vivent dans un monde du silence. »

Ce jeudi-là, une bonne vieille grenouille du ruisseau qui courait de l'autre côté de la haie coassa sur notre passage.

« Tu l'entends, Danny ?

— Oui, dis-je.

— C'est une grenouille taureau qui appelle sa compagne. Il fait ça en gonflant son fanon et en laissant échapper l'air d'un seul coup.

— Qu'est-ce que c'est un fanon ? demandai-je.

— C'est comme ça qu'on appelle la poche de peau qu'il a sous le menton. Il peut la gonfler comme un véritable petit ballon de baudruche.

— Que se passe-t-il lorsque sa compagne l'entend ?

— Elle arrive en sautillant, très heureuse de l'invitation. Mais le mâle a un défaut très amusant. Il est souvent tellement charmé par le son de sa propre voix que sa compagne doit le houspiller un moment avant qu'il mette un terme à ses borborygmes pour la cajoler. »

Cela me fit rire.

« Ne ris pas trop fort, me dit-il en me regardant de ses yeux étincelants de malice. Nous les hommes, nous ne sommes pas très différents. »

Nous nous séparâmes devant la grille de l'école et mon père partit acheter le raisin. Un flot d'élèves franchissait la grille et remontait l'allée jusqu'à la grand-porte de l'école. Je me joignis à mes camarades, mais n'adressai la parole à personne. On m'avait confié un grand secret et un mot malheureux de ma part pouvait compromettre irrémédiablement la plus grande expédition de braconnage jamais vue.

Notre école n'était qu'une petite école de campagne, un bâtiment de brique rouge, massif et laid, tout de plain-pied. Au-dessus de la porte d'entrée, il y avait une plaque de pierre grise scellée au mur sur laquelle on pouvait lire : CETTE ÉCOLE A ÉTÉ ÉDIFIÉE EN 1901 EN COMMÉMORATION DU COURONNEMENT DE SON ALTESSE ROYALE ÉDOUARD VII. J'ai dû lire cette phrase au moins mille fois. A chaque fois que je me présentais devant la porte, elle me tirait le regard. J'imagine que ce n'est pas pour rien qu'on l'avait placée à cet endroit précis. Cela dit, c'était assez rasant de lire et relire sans arrêt les mêmes mots et souvent je me prenais à penser qu'il aurait été bien plus chouette de pouvoir lire chaque jour une phrase différente à cet endroit, une phrase sur un sujet inté-ressant. Mon père aurait très bien fait cela. Il aurait pu écrire ses phrases sur la pierre grise et lisse en se servant d'un bâton de craie blanche et chaque matin le texte aurait été différent. Il aurait pu dire, par exemple : *Saviez-vous que le petit papillon jaune du trèfle transporte souvent son épouse sur son dos ?* Une autre fois, il aurait pu dire : *Le guppy a des mœurs curieuses. Lorsqu'il tombe amoureux d'un autre guppy, il lui mord le derrière. Ou : Saviez-vous que le sphinx tête-de-mort pousse de petits cris aigus ?* Ou encore : *Les oiseaux n'ont pratiquement pas d'odorat. Par contre, ils ont une vue excellente et ils adorent les tons rouges. Les fleurs qu'ils aiment sont rouges ou jaunes, mais jamais bleues.* Et peut-être une fois se serait-il servi de sa craie pour écrire : *Certaines abeilles ont une langue qui peut atteindre deux fois leur propre longueur. Grâce à cela, elles peuvent recueillir le nectar des fleurs dont le calice est très long et très étroit.* Il aurait également pu écrire : *Je parie que vous ignoriez que dans certains grands manoirs d'Angleterre, le majordome repasse encore le journal du matin avant de le poser sur la table du petit déjeuner de son maître.*

Notre école comptait une soixantaine de garçons et de filles, dont les âges s'échelonnaient entre cinq et onze ans. Nous étions répartis en quatre classes avec chacune un maître différent.

Mlle Birdseye s'occupait de la maternelle, qui regroupait les enfants de cinq à six ans. C'était une personne très douce. Elle avait toujours un sac de bonbons à l'anis dans le tiroir de son bureau et quand on travaillait bien, on était récompensé d'un bonbon qu'on pouvait sucer pendant la classe. Le truc avec les bonbons à l'anis, c'est de ne jamais mordre dedans. Si vous avez la patience de bien les faire rouler dans votre bouche, ils fondent doucement tout seuls jusqu'à ce que vous arriviez à la toute petite graine brune du milieu. C'est la graine d'anis même et quand vous l'écrasez entre vos dents, elle dégage une saveur fabuleuse. Mon père disait que les chiens en raffolent et que lorsque les renards se font rares, les chasseurs à courre traînent un sac de boules d'anis à travers la campagne. La meute suit cette piste sur des kilomètres pour le seul plaisir de humer cette odeur. On appelle ça la chasse au drag.

Les enfants de sept et huit ans avaient pour maître M. Corrado, qui était, lui aussi, une brave personne.

Le capitaine Lancaster.

Il avait beau avoir soixante ans et plus, cela ne l'empêchait pas d'être amoureux de Mlle Birdseye. Nous savions qu'il était amoureux d'elle, car il lui réservait toujours les meilleurs morceaux de viande lorsque c'était son tour de servir au réfectoire. Et quand d'aventure elle lui souriait, il lui répondait par un sourire béat, qui découvrait toutes ses dents de devant, en haut comme en bas, mais également la plupart des autres.

Le maître du groupe des neuf et dix ans, dont je faisais partie, était le capitaine Lancaster. Il répondait aussi au sobriquet de « Lankers » et c'était un affreux bonhomme. Il avait une chevelure hirsute de couleur carotte, une petite moustache taillée et un caractère emporté. Des poils roux s'échappaient également de ses narines et de ses oreilles. Il avait été capitaine pendant la Seconde Guerre mondiale et il persistait à se faire appeler capitaine Lancaster au lieu de monsieur tout simplement. Mon père disait que c'était idiot. Il disait aussi que des millions de gens avaient fait la guerre et que la plupart de ceux qui étaient toujours vivants souhaitaient en oublier aussi bien les horreurs que ces histoires ridicules de grades militaires. Le capitaine Lancaster était un homme violent et nous avions tous très peur de lui. Il restait assis derrière son bureau à caresser sa moustache et à nous épier de ses yeux glauques dans l'espoir de nous surprendre en faute. Et tout le temps qu'il nous guettait de la sorte, il reniflait d'une façon curieuse qui faisait penser à un chien flairant l'entrée d'un terrier de lapin.

M. Snoddy, notre directeur, avait la classe des grands, ceux qui avaient onze ans. Lui, tout le monde

M. Snoddy, notre directeur.

l'aimait. C'était un petit bonhomme rond, dont le gros nez écarlate m'inspirait une certaine compassion. Il était, en effet, tellement gros et enflammé qu'on redoutait toujours de le voir exploser et désintégrer son propriétaire.

M. Snoddy avait la curieuse habitude de toujours apporter en classe un verre d'eau qu'il sirotait à petits coups tout au long de la leçon. Tout le monde croyait que c'était de l'eau, mais Sidney Morgan, mon meilleur ami, et moi savions qu'il n'en était rien. La vérité nous l'avions découverte dans les circonstances que je vais vous rapporter maintenant. Mon père s'occupait de l'entretien de la voiture de M. Snoddy et je lui apportais toujours les factures à l'école pour économiser les timbres. Un jour, pendant la récréation, j'allai trouver M. Snoddy dans son bureau pour lui remettre une facture. Sidney Morgan n'ayant rien de mieux à faire ce jour-là m'avait accompagné. En entrant, nous trouvâmes M. Snoddy debout devant sa table et remplissant le fameux verre avec le contenu d'une bouteille dont l'étiquette disait : « Gordon's Gin. » En nous apercevant, le directeur fit un bond formidable.

« Tu aurais tout de même pu frapper à la porte, me dit-il en dissimulant la bouteille derrière une pile de livres.

— Je vous demande pardon, monsieur, m'excusai-je. J'apporte la facture de mon père.

— Ah ! dit-il. Oui, très bien. Et toi, Sidney, qu'est-ce qui t'amène ?

— Rien, monsieur, répondit Sidney Morgan. Rien du tout.

— Alors, vous pouvez partir, tous les deux, dit

M. Snoddy, dont la main était toujours derrière la pile de livres. Allez, ouste ! »

Dans le couloir, Sidney et moi jurâmes de ne pas raconter aux autres ce que nous avions vu. M. Snoddy s'était toujours montré très gentil avec nous et nous voulions lui témoigner notre reconnaissance en ne divulguant pas son triste secret.

La seule personne à laquelle j'en parlai fut mon père, qui, après m'avoir écouté, dit :

« On ne peut pas lui en vouloir. Si, pour mon malheur, j'étais marié à Mme Snoddy, je boirais quelque chose d'autrement plus fort que le gin.

— Quoi, papa ?

— Du poison, dit-il. Cette femme est une effroyable virago.

— Qu'est-ce qui te fait dire qu'elle est effroyable ? demandai-je.

— C'est une espèce de sorcière, répondit-il. Et la meilleure preuve, c'est qu'elle a sept orteils à chaque pied.

— Qu'est-ce que tu en sais ? demandai-je.

— C'est le docteur Spencer qui me l'a dit. »

Puis, changeant de sujet, il me demanda :

« Pourquoi n'invites-tu jamais Sidney Morgan à venir ici jouer avec toi ? »

Depuis que j'allais à l'école, mon père m'encourageait à inviter mes amis à goûter ou à dîner à la station. Une semaine avant mon anniversaire, il me disait régulièrement :

« Et si cette année nous organisions une petite fête, Danny ? Nous enverrions des invitations et j'irais au village acheter des éclairs au chocolat, des beignets et un gros gâteau d'anniversaire avec des bougies. »

Mais je refusais régulièrement et je n'invitais jamais personne à m'accompagner après l'école ou à venir me voir le dimanche. Pourtant, j'avais de bons copains. J'en avais même des tas, qui, comme Sidney Morgan, étaient même de très bons copains. Peut-être que si, au lieu de demeurer à l'écart, j'avais vécu dans la même rue qu'eux, les choses se seraient passées différemment. Toutefois, j'en doute, car si je ne voulais ramener personne pour jouer avec moi, c'était, voyez-vous, que je préférais la compagnie de mon père.

Au fait, il arriva une chose affreuse ce jeudi après que mon père m'eut quitté à la porte de l'école pour aller acheter le raisin. C'était la première leçon de la journée et le capitaine Lancaster nous avait donné tout un tas de multiplications à faire sur notre cahier d'exercices. Assis côte à côte à une table du fond, Sidney Morgan et moi étions en train de peiner sur nos opérations. Installé derrière son bureau à l'autre bout de la salle, le capitaine Lancaster surveillait la classe de son regard glauque et soupçonneux. De ma place, relativement éloignée pourtant, j'entendais son reniflement de chien devant un terrier de lapin.

Couvrant sa bouche de la main, Sidney Morgan me demanda soudain :

« Ça fait combien, neuf fois huit ?

— Soixante-douze », lui chuchotai-je en retour.

Le bras du capitaine Lancaster se détendit à la vitesse de l'éclair et il pointa le doigt sur mon visage :

« Toi ! hurla-t-il. Debout !

— Moi, monsieur ? dis-je.

— Oui, toi, espèce de petit crétin ! »

Je me levai.

« Tu as parlé ! aboya-t-il. Qu'est-ce que tu as dit ? »

Il me parlait en hurlant, comme s'il s'était adressé à un peloton de soldats dans la cour d'honneur d'une caserne.

« Allons, qu'as-tu dit ? »

Je restai de marbre.

« Est-ce que tu refuserais de me répondre, par hasard ? hurla-t-il.

— Pardon, monsieur, intervint Sidney. C'est ma faute. C'est moi qui lui ai demandé quelque chose.

— Ah ! tu lui as demandé quelque chose, hein ? Debout ! »

Sidney se mit debout à côté de moi.

« Et que lui as-tu demandé ? dit le capitaine Lancaster d'une voix doucereuse et lourde de menaces.

— Je lui ai demandé combien faisaient neuf fois huit, dit Sidney.

— Et j'imagine que tu le lui as dit, toi ? » fit le capitaine Lancaster en me désignant à nouveau du doigt.

Il ne nous appelait jamais par nos noms. C'était toujours « toi ».

« Le lui as-tu dit, oui ou non ? Allons, je t'écoute !

— Oui, je le lui ai dit, avouai-je.

— Vous avez donc triché ! s'exclama-t-il. Vous avez triché tous les deux ! »

Nous gardâmes le silence.

« C'est répugnant, dit-il. Il n'y a que les voyous et les vauriens qui trichent ! »

La classe, pétrifiée, ne quittait plus le capitaine Lancaster des yeux. Personne n'osait faire le moindre geste.

« On vous permet peut-être de tricher, de mentir et

de vous comporter comme des filous chez vous, poursuivit-il. Mais sachez que je ne tolérerai rien de tel dans cette classe ! »

A ce moment, une sorte de fureur aveugle s'empara de moi et je lui rétorquai en hurlant :

« Je ne suis pas un tricheur ! »

Un silence de mort s'abattit sur la classe. Le capitaine Lancaster releva le menton et fixa sur moi ses yeux glauques.

« Non seulement tu es un tricheur, mais encore un insolent, annonça-t-il tranquillement. Tu es très insolent. Approche. Approchez tous les deux. »

Je quittai ma table et me dirigeai vers l'autre extrémité de la classe, conscient de ce qui m'attendait. C'était arrivé à beaucoup d'autres élèves et cela avait toujours suscité en moi une révolte mêlée de dégoût.

Le capitaine Lancaster s'était levé et il se dirigeait vers la bibliothèque qui s'appuyait sur le mur gauche de la classe. Il leva le bras jusqu'au dernier rayon du meuble et en descendit la férule redoutée. Elle était très longue, très fine et blanche comme un os. L'une de ses extrémités était recourbée à la manière d'une poignée de canne.

« Toi d'abord, dit-il en me désignant du bout de la canne. Tends la main gauche. »

J'avais du mal à concevoir que cet homme était sur le point de m'infliger de sang-froid une blessure physique. Tout en élevant ma main, que je maintins ouverte devant moi, je regardai la peau rose et les lignes qui la sillonnaient en tous sens. Je ne parvenais toujours pas à imaginer qu'il allait lui arriver quelque chose.

La longue canne blanche s'éleva en l'air et s'abattit

sur ma main en claquant comme un coup de fusil. J'entendis d'abord le coup et deux secondes plus tard seulement je ressentis la douleur. De toute ma vie, je n'avais jamais eu si mal. C'était comme si quelqu'un avait appuyé un tisonnier chauffé au rouge sur la paume de ma main et l'avait maintenu là. Je me rappelle avoir pris ma main gauche dans la droite et l'avoir serrée entre mes jambes. Je la serrai aussi fort que je pus, comme pour l'empêcher de tomber en morceaux. Je parvins à me retenir de hurler, mais je ne réussis pas à endiguer le torrent de larmes qui se mit à couler sur mes joues.

Quelque part près de moi, j'entendis un nouveau sifflement suivi d'une détonation et je compris que le pauvre Sidney avait reçu la part qui lui revenait.

Oh ! cette douleur effroyable, cette brûlure de fer rouge sur ma main ! Pourquoi ne partait-elle pas ? Je jetai un regard à Sidney. Il faisait exactement comme moi et serrait sa main entre ses cuisses en faisant une grimace horrible.

« Retournez vous asseoir, tous les deux ! » ordonna le capitaine Lancaster.

Nous regagnâmes notre table en titubant et nous assîmes.

« Et maintenant, reprenez votre travail ! ordonna la voix terrifiante. Finie la tricherie ! Et plus d'insolence, non plus ! »

La classe se pencha sur ses cahiers comme une assemblée de fidèles sur ses missels.

J'examinai ma main. Elle portait en travers de la paume, à la base des doigts, une affreuse marque d'un centimètre et demi de large. C'était une boursouflure blanche comme la craie sur le dessus et rouge sur les côtés. J'essayai de bouger les doigts. J'y parvenais, mais cela me faisait mal. Je regardai Sidney. Il me fit un clin d'œil pour s'excuser et se replongea dans ses multiplications.

Il avait été convenu que mon père ne m'attendrait pas à la sortie de l'école cet après-midi-là et je le retrouvai donc dans l'atelier en revenant du village.

« J'ai acheté les raisins, m'annonça-t-il. Nous allons les mettre à tremper. Va chercher une jatte d'eau, Danny. »

J'allai chercher une jatte dans la roulotte et je la remplis à moitié d'eau. Je la portai ensuite dans l'atelier et la posai sur l'établi.

« Ouvre les paquets et mets le raisin dans l'eau », dit mon père.

Il n'était pas de ceux qui veulent toujours tout faire tout seuls et c'était une des choses que j'aimais le plus en lui. Même pour une tâche difficile, comme le réglage du carburateur d'un gros moteur, ou seulement pour verser des raisins secs dans une jatte, il me laissait toujours l'initiative tout en étant prêt à intervenir en cas de difficulté. Il me regarda ouvrir le premier paquet de raisins.

« Eh là ! s'écria-t-il soudain en s'emparant de mon poignet gauche. Qu'est-ce que tu as à la main ?

— Rien », dis-je en serrant le poing.

Il me le fit ouvrir. La longue marque écarlate qui courait en travers de la paume de ma main présentait l'aspect d'une brûlure.

« Qui t'a fait ça ? Le capitaine Lancaster ?

— Oui, papa, mais ça n'a pas d'importance.

— Comment est-ce arrivé ? (Il me serrait le poignet

si fort que j'en avais presque mal.) Raconte-moi exactement ce qui s'est passé ! »

Je lui racontai toute l'histoire. Il m'écouta sans lâcher mon poignet. Son visage blêmissait à vue d'œil et je sentais sa fureur monter dangereusement.

« *Je vais le tuer !* lâcha-t-il à mi-voix lorsque j'eus fini mon récit. *Je vais le tuer, je le jure !* »

Ses yeux lançaient des éclairs et son visage était livide. C'était la première fois que je le voyais se mettre dans un état pareil.

« Oublie ça, papa.

— Je n'oublierai rien du tout ! dit-il avec violence. Tu n'avais rien fait de mal et il n'avait aucun droit de te traiter comme il l'a fait. Il a osé te traiter de tricheur, hein ? »

Je fis oui de la tête.

Il était déjà en train d'enfiler sa veste qu'il avait décrochée au portemanteau.

« Où vas-tu ? lui demandai-je.

— Tout droit chez le capitaine Lancaster pour lui démolir le portrait.

— Non ! m'écriai-je, en m'emparant de son bras. Ne fais pas ça, je t'en prie, papa ! Ça n'arrangera rien ! Je t'en prie, ne fais pas ça !

— Il le faut ! dit-il.

— Non ! m'écriai-je à nouveau, en le tirant par le bras. Ça n'arrangera rien ! Ça ne fera qu'aggraver la situation ! Je t'en prie, laisse tomber ! »

Il marqua un temps d'hésitation. Je restai accroché à son bras. Il demeura un instant silencieux et je vis que la bouffée de colère qui avait envahi son visage s'atténuait peu à peu.

« C'est révoltant ! dit-il enfin.

« — Je parie que ça t'est arrivé aussi du temps où tu étais en classe, dis-je.

— Bien sûr.

— Et je parie aussi que ton père n'allait pas casser la figure du maître pour autant. »

Il me regarda sans perdre son calme.

« Alors, est-ce qu'il allait casser la figure de tes maîtres, papa ?

— Non, Danny, il n'y allait pas », admit-il avec douceur.

Je lâchai son bras et l'aidai à ôter sa veste que je raccrochai au portemanteau.

« Maintenant, je vais mettre les raisins à tremper, dis-je. Et surtout n'oublie pas que demain je suis censé avoir un mauvais rhume qui m'empêchera d'aller en classe.

— Oui, dit-il. C'est vrai.

— Nous avons deux cents grains de raisin à préparer, dis-je.

— Ah ! ça aussi c'est vrai, dit-il.

— J'espère que nous aurons fini à temps, dis-je.

— Tu as encore mal à ta main ? demanda-t-il.

— Non, répondis-je. Plus du tout. »

Cela parut le satisfaire et il ne revint pas sur ce sujet de tout l'après-midi, bien qu'à plusieurs reprises je le surpris à regarder ma main.

Cette nuit-là, il ne me raconta pas d'histoire. Il vint s'asseoir au bord de ma couchette et nous parlâmes de ce qui allait se passer à Hazell's Wood le jour suivant. Il s'arrangea pour me rendre si impatient et excité que je ne parvins pas à trouver le sommeil. Je crois qu'il était lui-même fort agité, car, après s'être déshabillé et couché, il se mit à se retourner dans tous les sens sur sa couchette. Lui non plus n'arrivait pas à s'endormir.

Vers dix heures et demie, il sauta à bas de sa couchette et mit la bouilloire sur le réchaud.

« Que se passe-t-il, papa ?

— Rien, dit-il. Et si on se faisait un petit festin ?

— Ça, c'est une bonne idée ! »

Il alluma la lampe du plafond, ouvrit une boîte de saumon et prépara pour nous deux un délicieux sandwich. Il me fit aussi du cacao tandis qu'il se préparait du thé. Bien entendu, nous recommençâmes à parler des faisans de Hazell's Wood.

Il était très tard lorsque le sommeil nous prit enfin.

La journée
de vendredi

Lorsque mon père me réveilla à six heures du matin, j'eus immédiatement conscience que c'était le jour J. J'avais attendu cette journée d'anxiété avec autant d'impatience que de crainte et, dès que j'ouvris les yeux ce vendredi-là, j'eus l'impression d'avoir un nid de serpents qui se tortillaient dans mon estomac.

La première chose que je fis, à peine habillé, fut d'aller accrocher l'écriteau « Fermé » à l'une des pompes. Nous prîmes un petit déjeuner rapide, puis nous nous installâmes devant la table de la roulotte pour préparer nos grains de raisin. Leur séjour dans l'eau les avait fait gonfler et ils étaient mous au toucher. Lorsque je les incisais à l'aide d'une lame de rasoir, leur peau se fendait instantanément et il était très facile d'extraire l'espèce de gélatine qu'ils contenaient.

Tandis que je fendais et évidais les grains de

raisin, mon père décortiquait les capsules de somnifère. Il les ouvrait une à une et versait la poudre blanche sur une feuille de papier. Il divisait ensuite le tas de poudre en quatre avec la pointe du couteau. Chaque tas était ensuite soigneusement recueilli et déposé au creux d'un grain de raisin. L'opération était parachevée à l'aide d'une aiguille et de fil de coton noir. Ce travail de suture étant le plus délicat, ce fut surtout mon père qui s'en chargea. La préparation de chaque grain de raisin nous prenait environ deux minutes en tout. Ce travail me plaisait et je le trouvais très amusant.

« Ta mère était une couturière incomparable, dit mon père. Elle aurait recousu ces raisins en un tour de main. »

Je ne dis rien. Je ne savais trop que dire quand il commençait à parler de ma mère.

« Est-ce que tu savais qu'elle faisait de ses propres mains tous mes vêtements, Danny ?

— Même les chaussettes et les chandails ? demandai-je.

— Oui, dit-il. Lorsqu'elle tricotait, les aiguilles bougeaient si vite entre ses doigts qu'on n'arrivait pas à les voir distinctement. Le soir, je restais assis à la regarder tricoter en me parlant des enfants qu'elle voulait avoir. Elle disait toujours : « J'aurai trois « enfants : un garçon pour toi, une fille pour moi et « un troisième pour faire bonne mesure. »

Un court silence succéda à ses paroles. J'enchaînai en lui demandant :

« Est-ce que du vivant de maman tu sortais souvent, papa ?

— Pour braconner, tu veux dire ?

La préparation de chaque grain de raisin nous prenait environ deux minutes.

— Oui.

— Au moins deux fois par semaine, répondit-il.

— Elle était d'accord ?

— Elle ? Bien sûr, puisqu'elle m'accompagnait.

— Pas possible !

— Mais bien sûr. Elle m'accompagnait toujours. Elle n'a cessé de le faire que peu de temps avant ta naissance, car elle ne pouvait plus courir assez vite. »

Je ruminai un instant cette nouvelle extraordinaire avant de lui demander :

« Est-ce qu'elle faisait ça pour te faire plaisir et pour être avec toi, papa ? Ou bien était-ce parce qu'elle aimait braconner ?

— Les deux, dit mon père. Elle le faisait autant pour moi que pour le braconnage. »

Je commençais à entrevoir quelle immense tristesse sa disparition avait dû lui causer.

« Tu n'avais pas peur qu'elle reçoive un coup de fusil ? demandai-je.

— Si, Danny, j'en avais peur. Mais c'était formidable de la savoir à mes côtés. Ta mère était une compagne extraordinaire. »

A midi, nous avions déjà fait plus de cent trente-six grains de raisin.

« Ça s'annonce bien, dit mon père. Arrêtons-nous pour déjeuner. »

Il ouvrit une boîte de haricots et les réchauffa dans une casserole sur le réchaud à pétrole. Je coupai deux tranches de pain bis et les posai dans des assiettes. Mon père y déposa les haricots à l'aide d'une cuillère et nous allâmes nous asseoir avec nos assiettes sur la plate-forme, les pieds dans le vide.

Bien que j'aimais beaucoup les haricots sur une tranche de pain, je fus incapable d'en avaler une seule bouchée ce jour-là.

« Qu'y a-t-il ? me demanda mon père.

— Je n'ai pas faim.

— Ne t'inquiète pas, dit-il. Le jour de ma première expédition, moi non plus je n'avais pas faim. J'avais à peu de chose près ton âge, peut-être même étais-je un tout petit peu plus vieux. Je me souviens avec précision de ce qu'il y avait sur la table de la cuisine ce soir-là. En ce temps-là, on prenait un véritable repas chaud à cinq heures de l'après-midi. Ma mère avait préparé sa spécialité, qui était également mon plat favori, un pâté en croûte à la mode du Yorkshire. Elle le faisait cuire dans un moule énorme. La pâte du dessus était dorée et croustillante à souhait et faisait penser à une chaîne de montagnes à cause des bulles d'air. Entre les massifs, on apercevait des saucisses à demi enfouies dans la pâte. C'était un plat succulent, mais ce jour-là pourtant mon estomac était tellement barbouillé que je ne pus en avaler une seule bouchée. Tout à fait comme toi en ce moment.

— J'ai l'impression que mon estomac grouille de serpents, dis-je. Je les sens qui se tortillent dans tous les sens.

— Moi-même, je ne suis pas dans mon état normal, tu sais ? dit mon père. Mais il faut reconnaître que l'opération que nous allons entreprendre n'est pas précisément ordinaire.

— C'est le moins qu'on puisse dire, papa.

— Te rends-tu compte de ce que nous allons faire, Danny ? Nous allons réussir l'expédition la plus colossale de toute l'histoire du braconnage !

— Arrête, papa. Ça me rend encore plus nerveux de t'entendre dire ça. A quelle heure partons-nous ?

— J'y ai réfléchi, dit-il. Il faut que nous soyons dans le bois au moins un quart d'heure avant le coucher du soleil. Si nous arrivons trop tard, tous les faisans seront déjà branchés pour la nuit.

— Le soleil se couche à quelle heure ? demandai-je.

— Vers sept heures et demie en ce moment, dit-il. Nous devons donc être là-bas à sept heures et quart exactement. Comme il faut compter une heure et demie de trajet pour aller jusqu'au bois, nous partirons d'ici à six heures moins le quart au plus tard.

— Alors, nous ferions mieux de retourner à nos grains de raisin, dis-je. Il nous en reste encore plus d'une soixantaine à préparer. »

Nos préparatifs s'achevèrent près de deux heures avant le moment du départ. Les grains de raisin s'empilaient sur une assiette blanche au milieu de la table.

« N'est-ce pas qu'ils sont beaux ? dit mon père en se frottant les mains. Les faisans vont se régaler. »

Nous allâmes bricoler un peu dans l'atelier en attendant cinq heures et demie, puis mon père me dit :

« Ça y est ! Il est l'heure d'aller se préparer ! Nous partons dans un quart d'heure ! »

Tandis que nous nous dirigions vers la roulotte, une voiture de modèle familial vint se garer le long des pompes. Il y avait une belle femme brune au volant et au moins huit enfants, qui suçaient tous des glaces, occupaient les sièges arrière.

« Je sais que la station est fermée, mais pourriez-vous quand même me servir quelques litres d'essence, s'il vous plaît ? Mon réservoir est presque à sec, cria la femme par la portière.

— Va la servir, me dit mon père. Mais fais vite. »

J'allai chercher une clef dans le bureau et déverrouillai l'une des pompes. Je fis le plein, pris l'argent que la femme me tendait et lui rendis sa monnaie.

« Vous ne fermez pas si tôt d'habitude, dit-elle.

— C'est qu'aujourd'hui nous sortons, mon père et moi, répondis-je en dansant d'un pied sur l'autre.

— Tu m'as l'air bien nerveux, dit-elle. C'est chez le dentiste que tu vas ?

— Non, madame, dis-je. Ce n'est pas chez le dentiste. Je vous demande pardon, mais je dois partir, maintenant. »

Dans le bois

Mon père sortit de la roulotte. Il avait passé son vieux chandail bleu marine et mis sa casquette de toile brune, dont la visière lui cachait les yeux.

« Qu'est-ce que tu as là-dessous, papa ? » demandai-je, en remarquant le renflement qu'il avait autour de la taille.

Il releva son chandail et je vis qu'il avait enroulé soigneusement autour de son ventre deux sacs de coton blanc très fins et très vastes.

« Pour transporter la marchandise, dit-il mystérieusement.

— Ah ! ah !

— Va passer ton chandail, dit-il. Il est bien marron, hein ?

— Oui, dis-je.

— Ça ira, mais, en revanche, ôte ces tennis blancs et mets tes chaussures noires à la place. »

J'allai dans la roulotte changer de chaussures et enfiler mon chandail. Quand j'en ressortis, mon père se tenait près des pompes et il scrutait anxieusement le soleil, qui rasait presque la cime des arbres de crête de l'autre côté de la vallée.

« Je suis prêt, papa.

— Brave petit bonhomme, va. Allons-y !

— Tu as pris le raisin ? demandai-je.

— Le voici, dit-il, en tapotant sa poche gonflée. Je l'ai mis dans une pochette. »

L'après-midi paisible et ensoleillé tirait à sa fin et quelques traînées nuageuses d'un blanc brillant s'étalaient, immobiles, dans le ciel. La vallée était fraîche et tranquille lorsque nous nous mîmes en chemin, côte à côte, sur la route qui serpentait entre les collines vers Wendover. Le bout de métal sous le plâtre de mon père sonnait comme un marteau sur un clou à chaque fois qu'il heurtait la route.

« Ça y est, Danny. C'est parti maintenant, dit-il. Bon sang ! J'aurais drôlement aimé que mon père soit de la partie, cette fois-ci. Il aurait donné n'importe quoi pour nous accompagner.

— Maman aussi, dis-je.

— Eh oui, dit-il, en laissant échapper un faible soupir. Ta mère aurait adoré ça. »

Un moment plus tard, il ajouta :

« Ta mère aimait beaucoup se promener dans la campagne environnante, Danny. Elle ramenait toujours quelque chose pour égayer la roulotte. En été, elle cueillait des fleurs des champs ou des plantes. Elle avait l'art de composer des bouquets magnifiques à partir de simples plantes montées en graine qu'elle disposait dans un vase avec quelques épis de blé ou d'orge. En automne, elle choisissait des rameaux et en hiver, elle cueillait des baies ou de la clématite. »

Pendant un instant, nous avançâmes en silence, puis il me demanda :

« Comment te sens-tu, Danny ?

— En pleine forme », dis-je.

C'était vrai et, en dépit des serpents que je sentais grouiller dans mon estomac, je n'aurais pas cédé ma place pour un empire.

« Tu crois qu'ils ont creusé d'autres fosses ? demandai-je.

— Ne crains rien, Danny, dit mon père. Je suis sur mes gardes à présent. Nous avancerons très prudemment une fois que nous aurons pénétré dans le bois.

— Est-ce qu'il y fera très sombre quand nous arriverons ?

— Non, dit-il. Je crois même que le sous-bois sera encore relativement éclairé.

— Alors, comment ferons-nous pour que les gardes ne nous repèrent pas ?

— Ah ! s'exclama-t-il. Mais c'est ça qui est amusant ! Tout le braconnage est dans cette passionnante partie de cache-cache !

— C'est parce que les gardes sont armés que tu dis que c'est passionnant ?

— Ma foi, dit-il. Je dois avouer que c'est ça qui lui donne tout son piquant. »

Au fur et à mesure que nous approchions de notre destination, je voyais mon père se crisper sous l'effet de la tension. Il se mettait à fredonner une horrible vieille rengaine et au lieu des paroles il répétait sans arrêt : « La-lalala-la-la-la-la-la. » Au bout d'un moment, il changeait d'air et ça devenait : « Pom-tralala-pom-pom-pom-pom, pom-tralala-pom, pom-tralala-pom. » Tout en chantant, il s'efforçait de marquer le rythme sur la route avec son pied ferré.

Quand enfin il se lassa de ce jeu, il me dit :

« Je vais te dire quelque chose d'intéressant à propos des faisans, Danny. Pour la loi, ce sont des oiseaux sauvages et à ce titre ils appartiennent au propriétaire du terrain sur lequel ils se trouvent. Tu ne savais pas ça, hein ?

— Non, je ne le savais pas.

— Ainsi, si l'un des faisans de M. Hazell venait à se poser sur notre station-service, poursuivit-il, il serait notre propriété. Personne d'autre n'aurait le droit d'y toucher.

— Même si c'est M. Hazell qui l'a acheté quand il était tout petit ? demandai-je. Même s'il a été élevé dans son bois à lui ?

— Absolument, dit mon père. L'oiseau cesserait d'appartenir à M. Hazell dès qu'il aurait quitté sa propriété. A moins, bien entendu, qu'il n'y revienne. C'est la même chose avec les poissons. Dès qu'un saumon ou une truite a quitté la portion de rivière qui traverse tes terres, il ou elle appartient à quelqu'un d'autre. Remarque que tu peux difficilement dire à quelqu'un : « Eh là ! ce poisson m'appartient, rendez-« le-moi. »

— Évidemment, dis-je. Mais je n'avais pas la moindre idée que ça se passait comme ça pour les faisans.

— C'est pareil pour tout le gibier, dit mon père,

les lièvres, cerfs, perdrix, coqs de bruyère... enfin tout le gibier, quoi. »

Nous avions marché d'une seule traite pendant une heure et demie et nous avions atteint la trouée d'où partait le chemin de terre qui montait vers le bois aux faisans. Nous traversâmes la route et nous engageâmes sur le chemin.

Nous grimpâmes jusqu'au sommet de la colline et le bois immense et sombre se dressa devant nous, illuminé à contre-jour par le soleil, dont les rayons jetaient à travers les arbres des gerbes de minuscules étincelles d'or.

« Il ne faudra plus parler une fois que nous serons dans le bois, Danny, me recommanda mon père. Tu tâcheras également de rester près de moi et de ne pas faire craquer de branches. »

Cinq minutes plus tard, nous étions à pied d'œuvre et il n'y avait plus, sur notre droite, que la haie entre le bois et nous.

« Bon, dit mon père. On y va. »

Il se faufila à quatre pattes à travers la haie, je fis de même.

Le bois était frais et sombre. Les rayons du soleil n'y pénétraient pas du tout. Mon père me prit par la main et nous commençâmes à avancer parmi les arbres. J'étais très heureux qu'il m'ait pris la main. J'avais eu envie de prendre la sienne dès notre entrée dans le bois, mais je n'avais pas osé le faire de peur que mon geste ne lui déplaise.

Mon père avançait avec un luxe de précautions. Il levait les pieds très haut avant de les reposer avec soin sur les feuilles brunes. Sa tête était perpétuellement en mouvement et il scrutait très attentivement les alentours pour prévenir tout danger. J'essayai d'en faire autant, mais je dus renoncer aussitôt, car je me mis à voir un garde derrière chaque arbre.

Pas à pas, nous nous enfonçâmes dans le bois pendant quatre ou cinq minutes.

Soudain, un large pan de ciel s'ouvrit dans la voûte des arbres, droit devant nous. Je compris immédiatement que nous arrivions à la clairière. Mon père m'avait dit que c'était là qu'on lâchait les oiseaux au début du mois de juillet. Comme les gardes continuaient par la suite à agrainer et à donner à boire aux faisans à cet endroit, ceux-ci y demeuraient par habitude jusqu'au début de la chasse.

« Il y a toujours beaucoup de faisans dans la clairière, avait dit mon père.

— C'est là aussi que les gardes se postent, papa ?

— Oui, mais heureusement le taillis est très épais tout autour de la clairière. »

Celle-ci n'était plus qu'à une centaine de mètres devant nous. Nous nous arrêtâmes derrière un gros arbre et mon père scruta attentivement les alentours. Il examina soigneusement le plus petit coin d'ombre autour de nous.

« Nous allons faire le reste du chemin à quatre pattes, murmura-t-il en me lâchant la main. Ne te laisse pas distancer et imite chacun de mes gestes, Danny. Si je me couche à plat ventre, fais-en autant. C'est compris ?

— Compris, murmurai-je en réponse.

— Alors, on y va. En avant ! »

Mon père se laissa tomber à quatre pattes et commença à avancer. Je suivis. Il se déplaçait si vite que j'avais bien du mal à avancer aussi rapidement que lui. Il se retournait très souvent pour voir si je suivais bien et à chaque fois je le rassurais d'un signe de tête et d'un sourire.

Nous avançâmes un long moment avant d'atteindre un épais buisson à l'orée même de la clairière. Mon père me poussa du coude et me montra les faisans à travers les branchages.

La clairière foisonnait d'oiseaux adultes. Ils devaient bien être deux cents à se pavaner entre les souches d'arbres.

« Tu vois ce que je te disais ? » murmura mon père.

C'était un spectacle fascinant, un véritable rêve de braconnier. Et ils étaient quasiment à portée de la main avec ça ! Certains étaient à moins d'une dizaine de pas de l'endroit où nous étions agenouillés. Les poules étaient dodues et leur plumage marron tirait sur le crème. Elles étaient si grasses que les plumes de leurs jabots balayaient presque le sol lorsqu'elles se déplaçaient. Les mâles étaient sveltes et élégants. Ils avaient de longues queues et des taches en forme de lunettes autour des yeux. Je jetai un coup d'œil vers mon père. Son visage transfiguré exprimait l'extase. Sa bouche était légèrement entrouverte et ses yeux, qui ne quittaient pas les faisans, étincelaient.

« Voilà un garde », me chuchota-t-il.

Je restai paralysé. Au début, je n'osai même pas regarder.

« Là-bas », murmura mon père.

Il ne faut pas que je bouge, pensai-je. Je ne dois même pas tourner la tête.

« Regarde en faisant bien attention, murmura mon père. En face, près du grand arbre. »

*Nous avançâmes
un long moment
avant d'atteindre
un épais buisson.*

Lentement, je tournai
les yeux dans la direction
qu'il indiquait
et j'aperçus le garde.
« Papa ! murmurai-je.
— Ne fais pas un geste,
Danny. Reste bien accroupi.
— Oui, mais, papa...
— Il n'y a rien à craindre.
Il ne peut pas nous voir. »
Nous nous baissâmes un peu plus,
sans cesser d'observer le garde.
C'était un homme courtaud.

Il avait une casquette sur la tête et un fusil sous le bras. Il ne bougeait pas du tout, il restait fiché là comme un véritable piquet.

« Est-ce qu'on va partir, papa ?

— Chut ! » répondit-il.

Lentement, sans quitter le garde des yeux, il tira de sa poche un grain de raisin. Il le plaça au creux de sa main et, d'une brusque détente du poignet, il l'expédia très haut en l'air. Je regardai le grain de raisin s'envoler par-dessus les buissons et atterrir à un mètre de deux poules qui se tenaient près d'une vieille souche. Les deux oiseaux tournèrent la tête d'un mouvement vif en entendant tomber le grain de raisin. L'un d'eux bondit aussitôt dessus et l'avala d'un coup de bec.

Je regardai le garde. Il n'avait pas bougé.

Je sentis un filet de sueur froide couler de mon front sur ma joue. Je n'osai pas lever la main pour l'essuyer.

Mon père lança un second grain de raisin dans la clairière, puis un troisième, un quatrième, un cinquième...

Il faut avoir du cran pour faire une chose pareille, me dis-je. Beaucoup de cran. Si j'avais été seul, je me serais pas attardé une seconde de plus dans cet endroit. Mon père, lui, était en transe. C'était la transe du braconnier. Pour lui, le braconnage c'était ce moment de danger, le plus palpitant de tous.

Il continua à lancer un à un les grains de raisin dans la clairière, un à un, vite et sans bruit. Son poignet se détendait brusquement et le grain de raisin s'envolait, il survolait bien haut les buissons avant de retomber parmi les faisans.

Je vis soudain le garde se retourner et scruter le bois derrière lui.

Mon père le vit aussi. Avec la rapidité de l'éclair, il tira le sac de raisins de sa poche et déversa le reste de son contenu dans sa main droite.

« Papa ! murmurai-je. Ne fais pas ça ! »

Il balança néanmoins le bras et expédia à la volée toute la poignée de raisins par-dessus les buissons. Les grains fouettèrent doucement le sol en retombant, un peu comme la pluie tombant sur des feuilles sèches. Tous les faisans de la clairière durent les entendre tomber, car il y eut des battements d'ailes et une ruée vers le trésor.

La tête du garde pivota d'un seul coup, comme mue par un ressort. Les oiseaux étaient tous en train de picorer dans la plus grande agitation. Le garde fit deux pas en avant et je crus pendant un court instant qu'il avait décidé de venir faire une ronde de notre côté. Au lieu de cela, il s'arrêta sur place, releva son visage et se mit à balayer lentement des yeux l'orée de la clairière.

« Allonge-toi bien à plat, dit mon père. Reste où tu es ! Surtout ne fais pas le moindre geste ! »

Je m'aplatis sur le sol et plaquai ma tête sur les feuilles brunes. Le sol avait une odeur étrange et piquante, comme celle de la bière. D'un œil, je vis mon père relever un tout petit peu la tête pour observer le garde. Il ne le quitta plus des yeux.

« Tu ne trouves pas ça excitant ? » me chuchota-t-il.

Je n'osai pas lui répondre.

Le moment que nous passâmes allongés là me parut interminable.

Et puis mon père murmura enfin :

« L'alerte est passée. Suis-moi, Danny. Mais fais bien attention, il est toujours là. *Et surtout, reste toujours baissé !* »

Il s'éloigna rapidement à quatre pattes. Je partis à sa suite. Je n'arrivais pas à détacher mes pensées du garde posté quelque part derrière nous. J'étais très conscient de sa présence et de la vulnérabilité de mon arrière-train, qui se dressait bien haut à la vue du monde entier. Je comprenais mieux à présent pourquoi il y avait tant de « derrières de braconnier » dans ce genre d'activité.

Nous parcourûmes une centaine de mètres à quatre pattes.

« Courons maintenant ! » dit mon père.

Nous nous redressâmes et partîmes au galop. Quelques minutes plus tard, nous débouchâmes de la haie sur le chemin de terre. Nous étions de nouveau à découvert et en sécurité.

« Ça a marché à merveille ! dit mon père, encore haletant. Tu as vu comme tout a bien marché ? »

Son visage écarlate resplendissait de joie.

« Tu crois que le garde nous a vus ? demandai-je.

— Penses-tu ! dit-il. Dans quelques minutes le soleil sera couché, les oiseaux seront branchés et notre garde rentrera dîner chez lui. Nous n'aurons plus qu'à retourner là-bas et nous servir. Nous les ramasserons par terre comme des cailloux ! »

Il s'assit contre la haie dans l'herbe du talus. Je m'installai à côté de lui. Il me passa un bras autour des épaules et me serra tout contre lui.

« Tu t'es bien comporté, Danny, dit-il. Je suis fier de toi. »

Le garde

Nous attendions que la nuit tombe, assis dans l'herbe du talus. Le soleil s'était couché et le ciel était d'un bleu pâle de fumée et légèrement teinté de jaune. Derrière nous les ombres s'épaississaient et le sous-bois tout entier passait du gris au noir.

« On pourrait me proposer un billet pour n'importe où sans que ça me tente en ce moment », dit mon père.

Son visage exprimait une joie très intense.

« Nous avons réussi, Danny, dit-il avec douceur en me posant délicatement la main sur le genou. Nous avons réussi notre coup. C'est chouette, hein ?

— Pour ça, oui, répondis-je. Mais j'ai eu la trouille tout le temps que ça a duré.

— C'est ça qui est intéressant dans le braconnage, dit-il. C'est parce que ça vous flanque une trouille de tous les diables qu'on aime braconner. Tiens, regarde, un épervier ! »

Tiens, regarde, un épervier !

Je regardai dans la direction qu'il m'indiquait du doigt et j'aperçus l'épervier planant avec grâce au-dessus des labours, de l'autre côté du chemin.

« C'est sa dernière chance de trouver son dîner, dit mon père. Il aura de la chance s'il réussit à apercevoir quelque chose. »

Les battements de ses ailes exceptés, l'épervier demeurait par moments rigoureusement immobile dans le ciel. Il semblait alors suspendu à un fil invisible, comme un de ces jouets d'enfant qu'on accroche au plafond. Soudain, il replia les ailes et piqua vers la terre à une vitesse vertigineuse. C'était un spectacle qui me fascinait toujours.

« Qu'est-ce qu'il a vu à ton avis, papa ?

— Un lapereau, peut-être, dit mon père. Ou un campagnol ou encore un mulot. Ceux-là, l'épervier ne leur laisse aucune chance une fois qu'il les a aperçus. »

Nous attendîmes que l'épervier redécolle. Il ne le fit pas. Cela signifiait qu'il avait capturé sa proie et qu'il était en train de la manger au sol.

« Ça prend combien de temps pour qu'un cachet de somnifère fasse son effet ? demandai-je.

— Je n'en ai pas la moindre idée, dit mon père. J'imagine que ça doit prendre une demi-heure environ.

— C'est peut-être différent avec les faisans, qu'est-ce que tu en penses, papa ?

— Peut-être, dit-il. De toute façon, il faut que nous attendions un moment pour laisser aux gardes le temps de rentrer chez eux. Ils s'en iront dès qu'il fera noir. J'ai apporté deux pommes, ajouta-t-il en mettant une main dans l'une de ses poches.

— Une Orange Cox Pippins, dis-je en souriant. Merci d'y avoir pensé. »

Nous nous mîmes à croquer nos pommes, assis sur le talus.

« Ce que j'aime dans ces pommes, dit mon père, c'est qu'on peut entendre leurs pépins quand elles sont mûres. Secoue un peu la tienne pour voir. »

Je secouai ma pomme à demi croquée et ses pépins se mirent à grelotter à l'intérieur.

« Attention ! chuchota soudain mon père. Quelqu'un qui se dirige vers nous. »

L'homme émergea brusquement et sans un bruit de l'obscurité. Il était très près de nous lorsque mon père l'aperçut.

« C'est un garde, lui aussi, murmura-t-il à mon intention. Reste assis et ne dis rien. »

Nous regardâmes le garde descendre le chemin et se diriger vers nous. Il avait un fusil sous le bras et un labrador noir marchait sur ses talons. Il s'arrêta à quelques pas de nous. Le chien tomba aussitôt en arrêt derrière lui et se mit à nous observer entre les jambes de son maître.

« Bonsoir », lança amicalement mon père.

L'homme était grand et sec. Il avait le regard dur, les pommettes saillantes, les mains calleuses et menaçantes.

« Je vous reconnais, dit-il en s'approchant. Je vous connais, vous deux. »

Mon père ne répondit pas.

« C'est vous qui tenez la station-service, hein ? »

Ses lèvres minces et sèches étaient couvertes d'une espèce de croûte brunâtre.

« Vous, vous tenez la station-service et lui c'est votre fils, hein ? Et vous vivez tous les deux dans une vieille roulotte toute déglinguée, hein ?

« — Pourquoi est-ce que vous me posez toutes ces questions ? dit mon père. C'est un jeu ou quoi ? »

Le garde envoya un gros crachat qui traversa l'espace et vint atterrir sur une plaque de poussière à une quinzaine de centimètres du plâtre de mon père. On aurait dit une petite huître.

« Déguerpissez ! dit l'homme. Allez, fichez-moi le camp. »

Quand il parlait, sa lèvre supérieure découvrait sa gencive et j'aperçus une rangée de petites dents sales. Il y en avait une noire, mais la plupart étaient d'un jaune tirant sur le marron, comme des pépins de grenade.

« Vous n'avez sans doute pas remarqué que nous sommes sur un chemin public, répliqua mon père. Soyez donc assez aimable pour nous laisser tranquilles. »

Le garde fit passer son fusil de son bras gauche à son bras droit.

« Vous êtes en train de rôder et vous préparez un mauvais coup, dit-il. C'est assez pour que je vous conduise à la police.

— Ici vous n'avez aucun droit », dit mon père.

Tout cela me rendait plutôt nerveux.

« Je vois que vous vous êtes cassé le pied, dit le garde. Vous ne seriez pas tombé dans un trou, par hasard ?

— C'était une belle promenade, Danny, dit mon père en me mettant une main sur le genou, mais il est temps de rentrer dîner. »

Il se leva et j'en fis autant. Nous partîmes d'un pas tranquille sur le chemin, abandonnant le garde derrière nous. L'obscurité ne tarda guère à l'engloutir.

« C'est le chef des gardes, dit mon père. Il s'appelle Rabbetts.

— Est-ce que nous allons vraiment rentrer chez nous, papa ?

— Rentrer ! s'écria mon père. Mais tu n'y penses pas, mon chéri. La chasse ne fait que commencer. Viens un peu par ici. »

Il y avait sur la droite une barrière ouvrant sur un pré ; nous l'enjambâmes et nous assîmes derrière la haie.

« M. Rabbetts va rentrer dîner comme les autres, dit mon père. Il ne faut pas avoir peur de lui. »

Nous demeurâmes assis derrière la haie à attendre que le garde passe sur le chemin pour rentrer chez lui. Il y avait quelques étoiles dans le ciel et derrière nous la lune dans son dernier croissant montait à l'est par-dessus les collines.

« Il faut se méfier de ce chien, dit mon père. Quand ils passeront, retiens ta respiration et ne fais plus un geste.

— Tu ne crois pas qu'il nous sentira quand même ? demandai-je.

— Non, dit mon père. Il n'y a pas de vent pour porter notre odeur. Attention, les voilà ! Ne bouge plus ! »

Le garde descendait le chemin sans bruit et le chien trottait silencieusement sur ses talons. Je pris une inspiration profonde et retins mon souffle tandis qu'ils passaient à notre hauteur.

Lorsqu'ils se furent suffisamment éloignés, mon père se leva et dit :

« L'alerte est passée. Il ne reviendra pas cette nuit.

— Tu en es sûr ?

— Absolument, Danny.

— Et l'autre, qui était dans la clairière ?

— Il est sans doute rentré, lui aussi.

— Est-ce que tu ne crois pas que l'un d'eux pourrait s'embusquer au bout du chemin et nous attendre près de la trouée ?

— Ce serait inutile, dit mon père. Il y a au moins vingt chemins différents pour rejoindre la route à partir du bois et M. Rabbetts le sait très bien. »

Nous demeurâmes encore quelques minutes derrière la haie par mesure de sécurité.

« Est-ce que ce n'est pas merveilleux de penser qu'en ce moment même près de deux cents faisans juchés dans ces arbres commencent à s'engourdir ? dit mon père. Bientôt ils basculeront et se mettront à tomber comme la pluie ! »

La lune était très haute sur les collines et le ciel plein d'étoiles lorsque nous enjambâmes de nouveau la barrière et commençâmes à remonter le chemin en direction du bois.

Champion
du monde

Le sous-bois n'était pas aussi sombre que je l'avais espéré. Les rayons de la lune éclatante filtraient par intermittence à travers les feuilles et jetaient sur le couvert une lumière froide à donner le frisson.

« J'ai apporté deux lampes de poche pour plus tard », dit mon père.

Il me tendit l'une de ces lampes de poche qui ressemblent à des stylos. J'allumai la mienne. Elle projetait un étroit faisceau de lumière dont l'intensité me surprit, et quand je le promenai autour de moi c'était comme si j'avais brandi une longue baguette blanche parmi les arbres. Je l'éteignis.

Nous partîmes en direction de la clairière où les faisans avaient été agrainés.

« Pour la première fois dans l'histoire mondiale du braconnage, on va capturer des faisans branchés,

161

dit mon père. Est-ce que ce n'est pas fantastique de pouvoir se balader dans le bois sans se soucier des gardes ?

— Tu es bien sûr que M. Rabbetts n'a pas rebroussé chemin en douce pour s'assurer que tout allait bien ?

— Absolument sûr, dit mon père. Il est rentré dîner. »

Je ne pouvais néanmoins m'empêcher de penser qu'à la place de M. Rabbetts je ne serais jamais rentré dîner si j'avais surpris deux individus suspects rôdant à la lisière de mon bois plein de faisans. Mon père dut sentir mon inquiétude, car il tendit le bras vers moi et ses longs doigts chauds se refermèrent sur ma main.

La main dans la main, nous nous faufilâmes entre les arbres vers la clairière. Il nous fallut à peine quelques minutes pour y arriver.

« Voici l'endroit d'où nous avons jeté le raisin », dit mon père.

Je scrutai la nuit à travers les buissons. La clairière baignait dans la lumière laiteuse et pâle de la lune.

« Qu'est-ce qu'on fait maintenant ? demandai-je.

— Nous restons ici et nous attendons », dit mon père.

Je distinguais à peine son visage sous la visière de sa casquette. Ses lèvres étaient pâles, ses joues empourprées et ses yeux brillaient avec éclat.

« Ils sont tous branchés, papa ?

— Oui. Ils sont tout autour de nous. Ils ne s'éloignent jamais beaucoup.

— Est-ce que je pourrais les apercevoir d'ici, en éclairant les branches avec ma lampe ?

— Non, répondit-il. Ils se juchent trop haut et ils se cachent dans le feuillage. »

Nous continuâmes à attendre.

Il ne se passait rien. Le bois restait très calme.

« Danny, appela mon père.

— Oui, papa ?

— J'étais en train de réfléchir à la façon dont les oiseaux conservent leur équilibre quand ils dorment, juchés sur une branche.

— Je n'en sais rien, dis-je. Pourquoi ?

— C'est très curieux, dit-il.

— Qu'est-ce qui est curieux ?

— Qu'ils ne basculent pas de leur perchoir à peine endormis. Un être humain tomberait tout de suite, lui.

— Les oiseaux ont de longs doigts pourvus de griffes. J'imagine que c'est grâce à ça qu'ils restent accrochés.

— Je sais tout cela, Danny. Mais ce que je ne comprends pas, c'est comment les doigts peuvent continuer à agripper le perchoir une fois l'oiseau endormi. Tous les muscles doivent se relâcher pendant le sommeil. »

J'attendis la suite de son raisonnement.

« Je me disais, poursuivit-il, que si un oiseau peut conserver son équilibre quand il dort, il n'y a pas de raison que les pilules le fassent dégringoler.

— Il est drogué, dis-je. Je suis sûr que ça marchera s'il est drogué.

— Mais il est seulement endormi, objecta-t-il. Pourquoi tomberait-il s'il dort seulement un peu plus profondément ? »

Un silence de mauvais augure succéda à sa question.

« J'aurais dû essayer cette méthode sur des coqs »,
ajouta mon père.

Ses joues étaient devenues livides et son visage
si pâle que je le crus au bord de l'évanouissement.

« Mon père, lui, l'aurait essayée sur ses coqs avant
d'entreprendre quoi que ce soit », dit-il.

A ce moment-là, nous entendîmes un bruit sourd
dans le bois derrière nous.

« Qu'est-ce que c'est ? demandai-je.

— Chut ! »

Nous tendîmes l'oreille.

Bom !

« Ça recommence ! » dis-je.

C'était un bruit sourd et profond. Un peu comme
le bruit d'un sac de sable qu'on jette par terre.

Bom !

« Ce sont les faisans ! m'écriai-je.

— Attends !

— Ce sont sûrement les faisans, papa ! »

Bom ! Bom !

« Tu as peut-être raison, Danny ! »

Nous allumâmes nos torches et partîmes en courant
dans la direction des bruits.

« D'où ça venait ? demanda mon père.

— De par là, papa ! Il y en a eu deux par là !

— C'est bien ce que je pensais. Continue à
chercher ! Ils ne doivent pas être bien loin ! »

Nous passâmes une minute à chercher les faisans
et puis mon père s'écria :

« En voici un ! »

Lorsque je le rejoignis, il tenait un magnifique
mâle entre les mains. Nous l'examinâmes soigneusement à la lumière de nos torches.

« Il est complètement dans les vapes, dit mon père. Il lui faudra une semaine au moins pour se réveiller. »

Bom !

« En voilà un autre ! » m'écriai-je.

Bom ! Bom !

« Encore deux ! » hurla mon père.

Bom !

Bom ! Bom ! Bom !

« Nom d'une pipe ! » s'exclama mon père.

Bom ! Bom ! Bom ! Bom !

Bom ! Bom !

Les faisans se mirent à dégringoler des arbres tout autour de nous. Nous nous mîmes à courir comme des fous dans tous les sens et en balayant le sol de nos torches.

Bom ! Bom ! Bom ! Je faillis recevoir ce lot sur la tête. J'étais juste sous l'arbre lorsque les trois faisans, deux coqs et une poule, tombèrent. Je n'eus aucun mal à les trouver, ceux-là. Ils étaient flasques et tièdes. Leur plumage était merveilleusement doux au toucher.

« Où est-ce que je les mets, papa ? demandai-je à voix haute.

— Pose-les ici, Danny ! Empile-les ici à la lumière. »

Mon père se tenait dans la clairière à la lisière du bois. Il était éclairé par la lune, dont les rayons ruisselaient sur lui. Je vis qu'il tenait une grande grappe de faisans dans chaque main. Son visage resplendissait, ses yeux étaient écarquillés et brillants. Il regardait autour de lui comme un enfant qui vient juste de découvrir que le monde entier est en chocolat.

Bom !

Bom ! Bom !

« C'est trop ! m'exclamai-je.

— C'est magnifique ! » s'écria mon père.

Il posa les faisans qu'il tenait et courut en ramasser d'autres.

Bom ! Bom ! Bom !

Bom !

On les trouvait maintenant sans difficulté. Il y en avait un ou deux sous chaque arbre. J'en ramassai six, trois dans chaque main, et courut les porter jusqu'au tas avec les autres. Je repartis en chercher six autres, puis six encore.

Et pendant ce temps-là, ils continuaient à dégringoler.

Mon père virevoltait, en proie à la plus grande excitation. Il courait de droite et de gauche et faisait penser à un fantôme dément. Je voyais le faisceau de sa lampe fouiller la nuit et chaque fois qu'il découvrait un faisan, il poussait un hurlement de triomphe.

Bom ! Bom ! Bom !

« Hé ! Danny ! cria-t-il.

— Je suis ici, papa. Qu'est-ce qu'il y a ?

— A ton avis, qu'est-ce qu'il dirait le grand Victor Hazell s'il pouvait nous voir en ce moment ?

— Je ne veux même pas y penser », dis-je.

La pluie de faisans se poursuivit pendant quatre ou cinq minutes avant de s'arrêter brusquement.

« Continue à chercher ! hurla mon père. Il en reste encore beaucoup sur le sol !

— Papa, dis-je. Tu ne crois pas que ça suffit comme ça ?

« — Jamais ! s'écria-t-il. Jamais de la vie ! »

Nous continuâmes donc à chercher. A nous deux, nous passâmes le bois au crible sur une centaine de mètres tout autour de la clairière et je crois que nous finîmes par les découvrir presque tous. Au point de rassemblement, il y en avait une pile presque aussi haute qu'un bûcher.

« C'est un miracle, répétait mon père exultant, un véritable miracle. »

Il contemplait l'amas de faisans qui semblait le plonger dans une sorte de transe.

« Tu ne crois pas qu'on devrait en prendre six chacun et déguerpir en vitesse ? dis-je.

— Je voudrais les compter, Danny.

— Pas maintenant, papa !

— Je tiens absolument à savoir combien il y en a.

— Est-ce qu'on ne pourrait pas remettre ça à plus tard ?

— Un... deux... trois... quatre... »

Il commença à les compter avec application. Il ramassait un oiseau à la fois et le mettait à part avec soin. Arrivée juste au-dessus de nos têtes, la lune jetait sur toute la clairière une lumière éclatante. J'avais l'impression d'être pris sous les faisceaux de puissants projecteurs.

« Cent dix-sept... cent dix-huit... cent dix-neuf... cent *vingt* ! C'est un record absolu ! » s'écria-t-il.

Je ne l'avais jamais vu aussi heureux.

« Le record de mon père était de quinze pièces en une seule fois, et quand il l'a établi, il n'a pas dessoulé de la semaine. Mais cent vingt faisans c'est le record du monde absolu, mon chéri !

— Sans doute, dis-je.

— Et tout ça grâce à toi, Danny ! C'est toi qui as eu cette idée !

— Mais je n'ai pas pris tous ces faisans, papa.

— Mais si ! Et tu sais ce que tu es maintenant ? Tu es le champion du monde des braconniers ! »

Il retroussa son chandail et déroula les deux sacs de coton qui lui ceignaient le ventre.

« Voilà le tien, dit-il en m'en tendant un. Dépêche-toi de le remplir ! »

Le clair de lune était si lumineux que je pouvais lire ce qui était écrit sur mon sac : J. W. CRUMP, MOULINS A BLÉ DE KESTON, LONDRES S. W. 17.

« Tu es sûr que le garde aux dents marron n'est pas en train de nous observer, caché derrière un arbre ? dis-je.

— Aucun risque de ce côté-là, dit mon père. S'il est à l'affût quelque part, c'est du côté de la station-service pour nous surprendre avec notre butin à notre retour chez nous. »

Nous commençâmes à remplir nos sacs. Les faisans étaient flasques et avaient le cou ballant. Leur chair était tiède sous les plumes.

« Nous ne pourrons jamais transporter tout ça jusqu'à chez nous, dis-je.

— Bien sûr. C'est pourquoi un taxi nous attend sur le chemin à la lisière du bois.

— Un taxi ! m'exclamai-je.

— Mon père se servait toujours d'un taxi pour les expéditions importantes, dit-il en guise d'explication.

— Mais pourquoi un taxi, pour l'amour de Dieu ?

— Parce que c'est plus discret, Danny. Le chauffeur est seul à connaître le passager.

— Qui est le chauffeur ? demandai-je.

— Charlie Kinch. Il est très heureux de pouvoir me rendre ce service.

— Est-ce que c'est un braconnier, *lui aussi* ?

— Le vieux Charlie Kinch ? Mais bien sûr. Il a pris dans sa vie plus de faisans que nous n'avons vendu de litres d'essence. »

Nous achevâmes de remplir les sacs et mon père hissa le sien sur ses épaules. Il était hors de question que j'en fasse autant avec le mien : il était bien trop lourd pour ça.

« Traîne-le, dit mon père. Fais-le glisser sur le sol. »

Mon sac contenait soixante faisans et j'avais l'impression qu'il pesait au moins une tonne. Heureusement, il glissait très bien sur les feuilles mortes quand je tirais dessus de toutes mes forces en marchant à reculons.

A l'orée du bois, nous inspectâmes le chemin à travers la haie et mon père appela à voix basse :

« Hé, Charlie ! »

Le vieil homme assis au volant du taxi passa la tête par la portière et nous adressa un sourire édenté plein de malice. Nous nous glissâmes à travers la haie en tirant les sacs derrière nous.

« Holàlàlàlà ! s'exclama Charlie Kinch. Qu'est-ce que c'est que tout ça ? »

Le taxi

Deux minutes plus tard, nous étions en sûreté dans le taxi qui redescendait lentement le chemin cahoteux en direction de la route.

Mon père exultait, gonflé d'orgueil. Il se penchait continuellement vers Charlie Kinch et lui envoyait de petites claques sur l'épaule en disant :

« Qu'est-ce que tu dis de ça, Charlie ? Qu'est-ce que tu penses de cette razzia ? »

Charlie, quant à lui, se retournait sans cesse pour regarder, en ouvrant de grands yeux, les deux sacs gigantesques, pleins à craquer. Il n'arrêtait pas de répéter :

« Ça alors ! Comment as-tu fait ?

— C'est Danny qui a tout fait ! répondait fièrement mon père. Mon fils Danny est le meilleur braconnier au monde. »

Au bout d'un moment, Charlie dit :

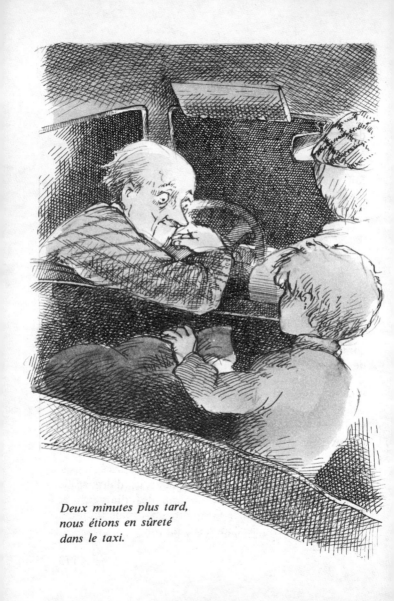

Deux minutes plus tard,
nous étions en sûreté
dans le taxi.

« M'est avis que les faisans seront plutôt rares à l'ouverture chez M. Victor Hazell, hein, William ?

— Je crois bien, répondit mon père. Je crois bien.

— Quand je pense à tous ces gens de la haute qui vont arriver de partout dans leurs grosses voitures brillantes et qui n'auront pas un seul faisan à tirer ! » dit le vieux Charlie.

A cette seule idée, il se mit à glousser avec tant de conviction que nous fîmes une embardée et faillîmes nous retrouver dans les champs.

« Papa, dis-je. Qu'est-ce que nous allons faire de tous ces faisans ?

— Les partager avec nos amis, dit mon père. Il y en a déjà une douzaine pour Charlie. Ça te suffit, Charlie ?

— Tu parles ! dit Charlie. C'est fantastique.

— Il y en a aussi une douzaine pour le docteur Spencer, une autre douzaine pour Enoch Samways...

— *Tu ne veux tout de même pas parler du briga-dier Samways ?* dis-je en m'étranglant.

— Mais si, dit mon père. Enoch Samways est un de mes plus vieux amis.

— Enoch est un brave gars, dit Charlie Kinch. C'est un garçon épatant. »

Le brigadier Enoch Samways était, je ne le savais que trop, l'agent de police du village. C'était un géant plutôt rond qui arborait une moustache noire et hirsute. Il arpentait la grand-rue du pas altier et mesuré de l'homme conscient des lourdes responsabilités qui pèsent sur lui. Les boutons d'argent de son uniforme étincelaient comme des diamants et j'avais une telle peur de lui que je changeais toujours de trottoir quand je l'apercevais.

« Enoch Samways n'est pas homme à dédaigner un morceau de faisan rôti, dit mon père.

— J'ai dans l'idée qu'il connaît aussi un truc ou deux pour les prendre », renchérit Charlie Kinch.

J'étais stupéfait, quoique plutôt satisfait d'apprendre que le redoutable brigadier Samways était aussi un homme. Peut-être allait-il moins m'impressionner à l'avenir.

« Est-ce que tu vas les distribuer cette nuit, papa ? demandai-je.

— Non, Danny. Pas cette nuit. Il faut toujours rentrer chez soi les mains vides après une expédition de braconnage. On n'est jamais sûr que M. Rabbetts ou l'un de ses hommes n'est pas en train de vous attendre à votre porte pour voir si vous transportez quelque chose.

— Ah ! on peut dire que c'est un sournois, ce Rabbetts ! confirma Charlie Kinch. Le mieux c'est encore de verser une livre de sucre dans le réservoir de sa voiture quand il a le dos tourné, comme ça il ne peut pas venir fouiner autour de votre maison. De mon temps, on commençait toujours par sucrer l'essence des gardes avant une expédition. Je m'étonne que tu n'aies pas fait ça, William, surtout pour un coup pareil.

— Qu'est-ce que ça fait, le sucre ? demandai-je.

— Le diable m'emporte ! Ça gomme tous les cylindres, dit Charlie Kinch. Il faut démonter tout le moteur pièce par pièce après un traitement pareil, pas vrai, William ?

— Pour sûr, Charlie », dit mon père.

Nous quittâmes le chemin cahoteux et nous nous engageâmes sur la route. Charlie accéléra et bientôt le vieux taxi fila vers le village en quatrième vitesse.

« Est-ce que tu vas déposer les faisans chez Mme Clipstone pour la nuit, William ? demanda Charlie.

— Oui, répondit mon père. Va directement chez elle.

— C'est elle qui est chargée de la distribution des faisans, dit mon père. Je ne te l'avais pas dit ?

— Non, papa », répondis-je éberlué.

J'étais au comble de la stupéfaction. Mme Grace Clipstone était tout bonnement l'épouse du révérend Lionel Clipstone, le pasteur du village.

« Il faut toujours choisir une femme au-dessus de tout soupçon pour distribuer les faisans, annonça mon père. Pas vrai, Charlie ?

— Grace Clipstone est une maligne », dit Charlie.

Je n'en croyais pas mes oreilles. J'avais l'impression que toute la population du canton participait d'une manière ou d'une autre à notre expédition.

« Le pasteur adore le faisan rôti, dit mon père.

— Il n'est pas le seul », dit Charlie Kinch en recommençant à glousser dans sa barbe.

Nous étions en train de traverser le village. Les lampadaires allumés éclairaient des hommes qui avaient fait le plein de bière dans les pubs et qui regagnaient leur foyer d'un pas incertain. J'aperçus M. Snoddy, le directeur de mon école, qui, d'une démarche mal assurée, tentait en vain de s'introduire discrètement chez lui par la porte de la cuisine. Il n'avait pas vu le visage grêlé et en lame de couteau de Mme Snoddy qui l'épiait d'une fenêtre du premier étage.

« Tu sais quoi, Danny ? dit mon père. Nous avons

été vraiment très humains d'endormir tous ces oiseaux. Demain, ils auraient beaucoup souffert si nous n'étions pas passés dans les bois ce soir.

— Les invités de Victor Hazell sont pour la plupart de mauvais fusils, expliqua Charlie Kinch. La moitié des oiseaux au moins auraient eu de vilaines blessures. »

Le taxi tourna à gauche et franchit la grille du presbytère. Les lumières étaient éteintes, personne ne nous attendait. Mon père descendit de voiture et alla déposer les faisans dans la resserre à charbon derrière la maison. Nous prîmes ensuite congé de Charlie Kinch et nous partîmes vers la station-service, distante de trois kilomètres.

Chez nous

Il ne nous fallut pas longtemps pour quitter le village et nous retrouver en rase campagne. Mon père et moi nous avancions tout seuls, allégrement, fatigués mais heureux, sur la route sinueuse éclairée par la lune.

« C'est *incroyable*, répétait sans cesse mon père. Je n'en reviens pas que nous ayons *vraiment* réussi notre coup !

— J'en ai le cœur qui cogne encore, dis-je.

— Et moi donc ! Mais, poursuivit-il en posant la main sur mon épaule, on pourra dire qu'on a passé un bon moment, Danny ! »

Nous marchions au beau milieu de la route. J'avais l'impression d'être sur une allée d'une vaste propriété dont nous aurions été les propriétaires.

« Est-ce que tu te rends compte, Danny, dit mon père, que cette nuit, ce vendredi 13 septembre, toi et moi, nous avons raflé *cent vingt* faisans de première qualité dans le bois de M. Victor Hazell ? »

Je regardai mon père. Son visage resplendissait de bonheur et il gesticulait tant qu'il pouvait en avançant au milieu de la route au rythme du *clic, clic, clic* de sa drôle de semelle en fer.

« Du faisan rôti ! hurla-t-il à l'intention de la lune et de la campagne environnante. Le plat le plus délicat et le plus succulent de la terre ! Tu n'en as jamais mangé, hein, Danny ?

— Non, dis-je. Jamais.

— Attends, s'écria-t-il. Attends seulement d'y avoir goûté ! C'est si bon que c'en est presque un péché !

— Est-ce que ça ne se mange que rôti, papa ?

— Bien sûr. On ne doit jamais faire bouillir un jeune faisan. Pourquoi me demandes-tu ça ?

— Je me demandais comment nous allions bien pouvoir rôtir nos faisans, dis-je. Il faut bien un four ou quelque chose comme ça pour faire un rôti ?

— Bien entendu, dit-il.

— Mais nous ne possédons pas de four, papa. Tout ce que nous avons c'est le réchaud à pétrole.

— Je le sais, dit-il. Et c'est la raison pour laquelle j'ai décidé d'en acheter un.

— Acheter un four ! m'écriai-je.

— Oui, Danny, dit-il. Avec un pareil stock de faisans il est indispensable que nous soyons convenablement équipés. Nous retournerons au village dès demain et nous y achèterons un four électrique. J'en ai vu chez Wheeler. Nous le mettrons dans l'atelier, car c'est là que sont toutes les prises de courant.

— Est-ce que ça ne coûtera pas trop cher ?

— Rien n'est trop cher quand il s'agit de faisan rôti, annonça-t-il avec emphase. Et n'oublie pas, Danny, qu'avant de mettre l'oiseau au four, il faudra l'entourer de bardes de lard pour qu'il soit bien fondant et ne pas oublier la sauce à la mie de pain.

Nous marchions au beau milieu de la route.

Il faudra que nous en fassions. On ne mange jamais de faisan sans sauce à la mie de pain. Il y a trois choses qui doivent toujours accompagner le faisan rôti : la sauce à la mie de pain, les frites et le panais bouilli. »

Nous nous accordâmes trente secondes le plaisir de rêver en silence à ce plat délicieux.

« Et ce n'est pas tout, poursuivit mon père. Il

faudra que nous achetions un de ces congélateurs dans lesquels on peut conserver les choses des mois sans qu'elles se gâtent.

— Tu n'y penses pas, papa !

— Mais te rends-tu compte, Danny, qu'après avoir distribué des faisans à tous nos amis : Charlie Kinch, le révérend Clipstone, le docteur Spencer, Enoch Samways et tous les autres, il nous en restera encore une cinquantaine ? C'est pour ça que nous aurons besoin d'un congélateur.

— Mais ça va coûter les yeux de la tête !

— Oui, mais ça en vaudra la peine ! s'écria-t-il. Imagine seulement, mon petit Danny, qu'à chaque fois que nous aurons envie de déguster un bon faisan rôti, tout ce que nous aurons à faire ce sera d'ouvrir le congélateur et de nous servir ! Les rois et les reines n'ont pas la vie plus belle ! »

Une chouette traversa la route devant nous, ses grandes ailes blanches battaient au ralenti dans le clair de lune.

« Est-ce que ta mère avait un four dans sa cuisine quand tu étais petit ? demandai-je.

— Elle avait mieux que ça, dit-il. Elle avait ce qu'on appelle une cuisinière. C'était une sorte de grand fourneau noir et large qu'on bourrait de charbon et qui brûlait vingt-quatre heures sur vingt-quatre. On ne la laissait jamais s'éteindre et quand on n'avait pas de charbon, on la faisait marcher au bois.

— Est-ce qu'on pouvait y faire rôtir des faisans ?

— On pouvait y faire rôtir n'importe quoi, Danny. Elle était drôlement utile, cette vieille cuisinière. C'était elle qui chauffait toute la maison en hiver.

« — Mais quand tu t'es marié avec maman, vous n'aviez ni four ni cuisinière, n'est-ce pas ?

— Non, dit-il. C'était un luxe bien au-dessus de nos moyens.

— Alors, comment faisiez-vous rôtir vos faisans ?

— Ah ! dit-il, c'était toute une affaire. Nous faisions un feu derrière la roulotte et nous les rôtissions à la broche à la manière des gitans.

— C'est quoi une broche ? demandai-je.

— C'est une longue tige de métal qu'on passe au travers du faisan. On la place ensuite au-dessus du feu et on la fait tourner sans arrêt. Il faut commencer par planter deux bâtons fourchus de part et d'autre du feu et installer la broche au creux des fourches.

— Et ça donnait de bons résultats ?

— Pas mauvais, dit-il. Mais moins bons qu'avec un four. Écoute, Danny, M. Wheeler a plein de fours fantastiques dans son magasin. J'en ai même vu un avec tellement de cadrans et de boutons qu'on dirait le poste de pilotage d'un avion.

— C'est un comme ça que tu veux acheter, papa ?

— Je n'en sais rien encore, dit-il. Nous verrons ça demain. »

Nous poursuivîmes notre marche et bientôt nous arrivâmes en vue de la station-service, qui luisait au clair de lune.

« Tu·ne crains pas que M. Rabbetts soit en train de nous guetter, papa ?

— S'il est à l'affût tu ne risques pas de le voir, Danny. Les gardes-chasse se dissimulent toujours derrière un arbre ou une haie pour t'observer. Ils ne se montrent que si tu portes un sac sur l'épaule ou si ta poche fait une bosse suspecte. Comme nous arrivons les mains vides, nous n'avons rien à redouter. »

J'ignore si M. Rabbetts était en train de nous épier lorsque, arrivés à la station, nous nous dirigeâmes vers la roulotte, toujours est-il que nous ne vîmes pas trace de lui. Dans la roulotte, mon père alluma la lampe à pétrole et moi le réchaud, sur lequel je posai la bouilloire pour préparer deux tasses de cacao.

Quelques minutes plus tard, alors que nous buvions à petits coups notre cacao brûlant, mon père me confia :

« Je ne me suis jamais autant amusé de ma vie. »

Fais dodo, Colas, mon p'tit frère...

A huit heures et demie le matin suivant, mon père téléphona de l'atelier au docteur Spencer.

« Écoutez, docteur, dit-il. Pouvez-vous passer à la station dans une demi-heure, j'ai une petite surprise pour vous. »

Le docteur lui répondit quelque chose que je n'entendis pas et mon père reposa le combiné.

A neuf heures, le docteur Spencer arriva au volant de son auto. Mon père alla à sa rencontre et tous deux s'engagèrent dans une conversation à mi-voix près des pompes. Soudain, le petit docteur se mit à claquer des mains et à bondir en l'air en riant aux éclats.

« Ce n'est pas vrai ! l'entendis-je s'écrier. C'est impossible ! »

Il vint vers moi en courant, prit ma main dans la sienne et, tout en la serrant très fort, s'exclama :

« Bravo, mon garçon ! Quel triomphe ! Quel miracle ! Quelle victoire ! Comment ai-je fait mon compte pour ne jamais avoir cette idée moi-même ? Vous êtes un génie, maître ! Gloire à toi, Danny, tu es le champion du monde !

— La voilà, s'écria tout à coup mon père en tendant le doigt vers le bout de la route qui venait du village. La voilà, docteur !

— Voilà qui ça ? demanda le docteur.

— Mme Clipstone, voyons. »

Il prononça ce nom avec la fierté d'un général parlant de son officier le plus valeureux.

De l'endroit où nous nous trouvions, près des pompes, nous regardâmes tous trois le long de la route.

« Vous ne la voyez pas ? » demanda mon père.

Je n'apercevais, quant à moi, qu'une petite forme lointaine qui semblait se diriger vers nous.

« Qu'est-ce qu'elle pousse devant elle, papa ? »

Mon père me jeta un coup d'œil plein de malice.

« L'unique et la plus sûre façon de livrer des faisans, c'est de les cacher sous un bébé. Pas vrai, docteur ? dit-il.

— Sous un *bébé* ? dit le docteur Spencer d'un air surpris.

— Parfaitement. Dans une voiture d'enfant avec un enfant dedans.

— Fantastique ! s'exclama le docteur.

— C'est une vieille découverte de mon père, nous confia-t-il. Ça n'a jamais raté.

— C'est astucieux, dit le docteur Spencer. Seul un esprit brillant pouvait concevoir un stratagème pareil.

— C'était effectivement un homme très intelligent.

Bravo, mon garçon !

Vous la voyez à présent, docteur ? Ce doit être le petit Christopher Clipstoné qu'on distingue dans la voiture. Il a un an et demi. C'est un enfant charmant.

— C'est moi qui l'ai mis au monde, dit le docteur Spencer. Il pesait sept livres à la naissance. »

Je distinguais seulement la petite tête d'un bébé dépassant de la voiture, dont la capote était baissée.

« Est-ce que vous vous rendez compte que ce petit bonhomme est assis sur plus d'une centaine de faisans ! annonça joyeusement mon père.

— C'est ridicule ! On ne peut pas faire tenir une centaine de faisans dans une voiture d'enfant ! dit le docteur Spencer.

— Oh ! si, on peut... si la voiture a été spécialement aménagée pour ça, dit mon père. Celle-ci est très longue, très large et surtout très profonde. C'est bien simple, on pourrait y faire tenir une vache en forçant un peu. Alors, une centaine de faisans, et un bébé, vous pensez...

— C'est toi qui l'as aménagée, papa ?

— Plus ou moins, Danny. Tu te souviens la fois où je suis allé chercher le raisin après t'avoir laissé à l'école ?

— C'était avant-hier.

— C'est ça. Eh bien, après je suis passé au presbytère pour faire de la voiture d'enfant des Clipstone un « grand modèle spécial braconnier ». C'est vraiment une réussite. Attends de la voir. Mme Clipstone m'a même assuré qu'elle était plus facile à pousser qu'avant. Elle l'a essayée dans la cour dès que j'ai eu fini de la transformer.

— Fantastique ! répéta le docteur. Absolument fantastique !

— D'habitude, poursuivit mon père, une voiture ordinaire suffit, mais personne jusqu'à présent n'avait eu à assurer la livraison d'une centaine de faisans.

— Et le bébé, où est-il assis ? demanda le docteur.

— Sur les faisans, bien sûr, dit mon père. Il suffit de jeter un drap dessus. Je vous assure qu'il n'y a pas de matelas plus confortable.

— Je veux bien te croire, dit le docteur.

— Le petit Christopher va faire une promenade très agréable aujourd'hui », dit mon père.

Nous restâmes près des pompes à attendre l'arrivée de Mme Clipstone. Pas un souffle de vent n'agitait ce premier matin d'octobre. Néanmoins, le ciel s'assombrissait et il flottait dans l'air tiède une odeur d'orage.

Le merveilleux avec mon père, c'était qu'il vous réservait toujours des surprises. On ne pouvait pas vivre avec lui un certain temps sans qu'il s'arrange pour vous surprendre d'une façon ou d'une autre. Il ressemblait un peu à ces magiciens qui tirent toutes sortes de choses d'un chapeau. Pour l'instant, c'était cette voiture d'enfant pour le moins spéciale. Dans quelques minutes, ce serait autre chose, ça ne faisait pas de doute.

« Elle a transporté les faisans au nez et à la barbe de tout le village, dit mon père. Beau travail !

— Elle me paraît terriblement pressée, papa, dis-je. Elle court presque. Vous ne trouvez pas qu'elle a l'air pressée, docteur Spencer ?

— J'imagine qu'elle doit avoir hâte de se débarrasser de sa cargaison, répondit le docteur.

— Elle est très pressée », repris-je sur un ton péremptoire.

*Mme Clipstone s'était lancée
dans une course effrénée.*

Il y eut un instant de silence. Mon père ne quittait plus des yeux la forme sur la route.

« Elle veut sans doute éviter de se laisser surprendre par l'averse, dit-il. Je parierais que c'est ça. Elle a dû se dire qu'il allait se mettre à pleuvoir et qu'il valait mieux mettre son enfant à l'abri.

— Dans ce cas, elle aurait plutôt commencé par relever la capote de sa voiture », dis-je.

Il ne répondit pas.

« Regardez, elle court ! » s'exclama le docteur Spencer.

Mme Clipstone s'était effectivement lancée dans une course effrénée.

Mon père demeurait rigoureusement immobile, les yeux rivés sur elle. Dans le silence qui suivit, il me sembla entendre des cris d'enfant.

« Que se passe-t-il, papa ? »

Il s'abstint une nouvelle fois de répondre.

« Cet enfant est malade, dit le docteur Spencer. Écoutez-moi ces hurlements. »

Mme Clipstone était encore à deux cents mètres de nous, mais elle se rapprochait très vite.

« Tu entends, papa ?

— J'entends.

— Il hurle à pleins poumons », dit le docteur Spencer.

La petite voix stridente se faisait plus forte à chaque seconde.

« Il fait sans doute une crise d'épilepsie, dit mon père. Heureusement, nous avons un docteur sous la main. »

Le docteur Spencer demeura muet.

« C'est pour ça qu'elle court, docteur, dit mon père.

190

Il est en pleine crise et elle se dépêche d'arriver pour lui passer la tête sous un robinet d'eau froide.

— En tout cas, il en fait un raffut, dis-je.

— Si ce n'est pas une crise d'épilepsie, c'est à coup sûr quelque chose du même genre, dit mon père.

— Je doute que ce soit une crise d'épilepsie », dit le docteur.

Mon père n'arrêtait pas de danser d'un pied sur l'autre sur le gravier de la piste.

« Les bébés sont sujets à mille et une choses de ce genre à cet âge-là, dit-il. Vous êtes bien placé pour le savoir, docteur.

— Bien sûr, dit le docteur Spencer. J'en vois tous les jours.

— Une fois, j'ai vu un bébé se prendre les doigts dans les rayons d'une roue de landau, dit mon père. Ça les lui a coupés net. »

Cela fit sourire le docteur.

« En attendant, poursuivit mon père, j'aimerais bien qu'elle arrête de courir. Elle va finir par vendre la mèche. »

Un semi-remorque chargé de briques surgit soudain derrière Mme Clipstone et sa voiture d'enfant. Le chauffeur ralentit et sortit la tête de sa cabine pour regarder le spectacle surprenant qui s'offrait à ses yeux. Mme Clipstone l'ignora et continua à courir comme une dératée. Elle s'était tellement rapprochée que je distinguais sa bouche grande ouverte, qui cherchait son souffle. Je remarquai qu'elle portait une paire de gants blancs très pimpants, assortis à un drôle de petit chapeau, posé au sommet de sa tête tel un champignon.

Et puis, tout à coup, un faisan énorme décolla en flèche de la voiture.

Mon père laissa échapper un cri horrifié.

L'imbécile qui conduisait le camion partit d'un éclat de rire bruyant.

Pendant quelques secondes, l'oiseau, ivre encore, battit des ailes de façon désordonnée. Il perdit bientôt de l'altitude et se posa sur l'herbe au bord de la route.

« Sapristi ! s'exclama le docteur. Regardez-moi ça ! »

Un camion de livraison surgit à son tour derrière le semi-remorque et se mit à klaxonner pour qu'on le laisse passer. Mme Clipstone continua à courir comme si de rien n'était.

Et soudain — ouch ! — un second faisan s'envola de la voiture.

Il fut aussitôt suivi d'un troisième, puis d'un quatrième.

« Grands dieux ! s'exclama le docteur Spencer. J'ai compris ! Les effets du somnifère sont en train de se dissiper ! »

Mon père resta muet.

Mme Clipstone couvrit les cinquante derniers mètres à une allure vertigineuse. Elle obliqua pour s'engager sur la piste de la station tandis que des oiseaux s'envolaient de la voiture dans toutes les directions.

« Pour l'amour de Dieu, que se passe-t-il ? » hurla-t-elle.

Elle s'arrêta net à la hauteur de la première pompe, prit le marmot qui hurlait dans ses bras et l'emporta à l'écart.

Soulagé du poids de l'enfant, un grand vol de

faisans décolla du gigantesque landau. Il devait y en avoir une bonne centaine, car le ciel tout entier fut rempli d'oiseaux marron qui prenaient leur essor.

« Les effets d'une capsule de somnifère ne sont pas éternels, ils disparaissent toujours le matin suivant », dit le docteur Spencer en hochant tristement la tête.

Les faisans étaient néanmoins trop embrumés encore pour aller bien loin. Au bout de quelques secondes, ils s'abattirent sur la station comme un nuage de sauterelles. Il y en avait partout. Plusieurs s'étaient juchés côte à côte sur le faîte de l'atelier et il y en avait une douzaine posés sur le rebord de la fenêtre du bureau. Quelques-uns avaient réussi à voler jusqu'au présentoir où s'alignaient les bidons d'huile de vidange tandis que d'autres essayaient de trouver leur équilibre sur le capot lisse de la voiture du docteur Spencer. Un coq à la queue magnifique s'était juché orgueilleusement au sommet d'une des pompes, mais la plupart de ses congénères, trop vaseux encore, s'étaient tout bonnement posés à même le sol, où ils s'ébrouaient en clignant leurs petits yeux.

Ce spectacle n'ébranla pas le calme olympien de mon père. Mme Clipstone, en revanche, était toute retournée.

« Ils ont failli le déchiqueter à coups de bec ! s'écria-t-elle en serrant sur sa poitrine le bébé, qui hurlait toujours.

— Emportez-le dans la roulotte, madame Clipstone, dit mon père. Tous ces oiseaux l'affolent. Toi, Danny, pousse immédiatement ce landau dans l'atelier. »

Tandis que Mme Clipstone disparaissait dans notre

roulotte avec son petit, je poussai la voiture dans l'atelier.

Sur la route, un embouteillage commençait déjà à se former derrière le semi-remorque et le camion de livraison. Les gens descendaient de voiture et traversaient la route pour venir voir les faisans.

« Attention, papa ! dis-je soudain. Regarde qui est là ! »

Au revoir,
M. Hazell

La grosse Rolls-Royce argentée et brillante s'était arrêtée d'un coup de frein brutal à la hauteur de la station-service. J'apercevais derrière le volant le visage de M. Hazell, couperosé et bouffi par la bière. Bouche bée, il contemplait les faisans. Ses yeux, tels deux champignons, lui sortaient de la tête et son visage rose virait progressivement à l'écarlate. La portière s'ouvrit et M. Hazell descendit de la Rolls, éblouissant dans sa culotte de cheval fauve et dans ses bottes brillantes, un foulard de soie jaune à pois rouges autour du cou et une espèce de chapeau melon sur la tête. La grande partie de chasse était sur le point de commencer et il était en route pour accueillir ses invités.

Il fonça sur nous tel un taureau de combat, sans prendre le temps de refermer la portière de la Rolls. Mon père, le docteur Spencer et moi-même formions un petit groupe compact qui l'attendait de pied ferme. Il avait commencé à hurler à la seconde où il avait posé le pied à terre et il continua pendant un long moment. Je suis sûr que vous aimeriez savoir ce qu'il hurlait, malheureusement il m'est impossible de rapporter ici ses propos. Il employa un langage ordurier et ignoble à vous écorcher les oreilles. Jamais, auparavant, je n'avais entendu les injures qui fusèrent ce jour-là de sa bouche et j'espère bien ne jamais les entendre à nouveau. Tout le temps qu'il nous injuriait, de l'écume se formait aux commissures de ses lèvres et dégoulinait sur son menton puis sur son foulard de soie jaune.

Je regardai mon père. Il attendait, immobile et impassible, la fin des hurlements. Ses joues avaient retrouvé leur couleur habituelle et je discernais autour de ses yeux les petites rides d'un sourire.

A son côté, le docteur Spencer était, lui aussi, très calme. Il regardait M. Hazell comme on regarderait à table une limace oubliée sur une feuille de salade.

Pour ma part, j'étais loin de partager leur sérénité.

« Mais ces faisans ne vous appartiennent pas, coupa enfin mon père. Ils sont à moi.

— Ne me racontez pas d'histoires ! hurla M. Hazell. Je suis le seul à posséder des faisans dans toute la région !

— Ils sont sur ma propriété, répondit tranquillement mon père. Ils se sont posés chez moi et tant qu'ils y resteront, ils m'appartiendront. Vous connaissez la loi, n'est-ce pas, espèce de vieux macaque bouffi ? »

Le docteur Spencer se mit à glousser. Le visage de M. Hazell vira de l'écarlate au violet. Les yeux lui

*Le visage de M. Hazell vira
de l'écarlate au violet.*

sortaient carrément de la tête et ses joues enflaient sous l'effet de la rage, comme si quelqu'un lui avait gonflé le visage avec une pompe. Il lança un regard haineux à mon père et considéra les faisans mal réveillés posés un peu partout dans la station.

« Qu'est-ce qu'ils ont ! hurla-t-il. Que leur avez-vous fait ? »

A cet instant précis, le brigadier Samways fit son apparition. C'était la loi en personne qui venait à nous, juchée sur une bicyclette noire, sanglée dans un uniforme bleu impeccable, dont les boutons d'argent étincelaient. Le brigadier Samways avait une sorte de don pour flairer les situations qui réclamaient son intervention. Je ne sais pas comment il faisait, mais il suffisait que deux garnements commencent à se colleter sur la voie publique ou que deux automobilistes se mettent à échanger des propos un peu vifs au sujet d'un pare-chocs embouti pour qu'infailliblement le brigadier apparaisse.

Tout le monde avait vu le brigadier et le silence se fit aussitôt dans l'assistance. J'imagine que c'est un peu pareil quand un roi ou un président de la République entre dans une pièce pleine de gens qui discutent entre eux. Tout le monde se tait aussitôt et on se tient coi en signe de respect envers un personnage puissant et important.

Le brigadier descendit de bicyclette et se fraya prudemment un chemin parmi les nombreux faisans posés sur le sol. Derrière sa grosse moustache noire son visage ne trahissait ni surprise, ni colère, ni émotion d'aucune sorte. Il présentait le visage impassible et neutre que les représentants de la loi devraient présenter en toutes circonstances.

Pendant une trentaine de secondes, il balaya la station du regard et considéra les faisans juchés çà et là. Tous, M. Hazell y compris, nous attendions son verdict.

«Eh bien, eh bien, eh bien, finit-il par dire en gonflant le torse et sans s'adresser à personne en particulier. Pourrait-on m'expliquer, si ce n'est pas trop demander, ce qui se passe ici ?

— Je vais vous le dire, moi, ce qui se passe, hurla M. Hazell en se dirigeant vers le brigadier. Tous ces faisans m'appartiennent. Ils étaient dans mon bois et cette fripouille, poursuivit-il en désignant mon père du doigt, les a attirés dans sa petite station-service pourrie !

— Attirés ? dit le brigadier Samways, dont le regard allait et venait de M. Hazell à notre petit groupe. Ils ont été attirés ici, dites-vous ?

— Bien sûr qu'il les a attirés ici !

— Voyons, dit le brigadier en appuyant avec précaution sa bicyclette contre l'une des pompes. C'est une accusation intéressante que vous portez là, fort intéressante, en vérité. C'est la première fois que j'entends dire qu'on pouvait attirer un faisan sur dix kilomètres en rase campagne et à travers champs. Et, selon vous, comment ces faisans auraient-ils été attirés jusqu'ici, monsieur Hazell ?

— Ce n'est pas à moi qu'il faut demander ça, car je n'en sais rien ! répondit M. Hazell en hurlant. Tout ce que je sais, c'est qu'il l'a fait ! Vous en avez la preuve tout autour de vous ! Tous mes plus beaux faisans sont dans cette sale petite station-service au lieu de se trouver dans mon bois, où la chasse va commencer ! »

Les mots coulaient de la bouche de M. Hazell comme la lave d'un volcan en éruption.

« Dites-moi si je me trompe, monsieur Hazell, dit le brigadier Samways, mais votre grande partie de chasse est bien prévue pour aujourd'hui, n'est-ce pas ?

— C'est là le drame ! » s'écria M. Hazell.

Il ponctuait chacune de ses paroles en martelant du bout de l'index la poitrine du brigadier, comme s'il s'était agi d'une machine à écrire ou à calculer.

« Si ces oiseaux ne regagnent pas immédiatement ma propriété, ça rendra furieux un tas de gens importants. Et sachez, brigadier, que parmi mes invités il y a votre propre supérieur, le chef de la police du comté ! Alors, vous avez intérêt à aviser tout de suite si vous ne voulez pas perdre vos galons, brigadier ! »

Le brigadier Samways n'aimait pas qu'on lui enfonce le doigt dans les côtes et, venant de quelqu'un comme M. Hazell, ce genre de familiarité lui déplaisait plus encore. Il manifesta son irritation d'un violent mouvement de la lèvre supérieure et sa moustache se hérissa comme un petit animal.

« Une minute, dit-il à M. Hazell. Une petite minute, je vous prie. Dois-je comprendre que vous accusez ce monsieur d'avoir volé vos faisans ?

— Mais bien sûr ! s'écria M. Hazell. Je *sais* que c'est lui !

— Pouvez-vous me fournir des preuves à l'appui de votre accusation ?

— Les preuves, elles sont tout autour de vous ! hurla M. Hazell. Vous êtes aveugle ou quoi ? »

Mon père s'avança. Il fit un tout petit pas vers

M. Hazell et le toisa de ses beaux yeux étincelant de malice.

« Vous savez sans doute pourquoi ces faisans sont venus ici ? lui demanda-t-il d'une voix douce.

— Non, je ne le sais pas ! rétorqua M. Hazell en hurlant.

— Eh bien, je vais vous le dire, moi, dit mon père. Tout cela est vraiment très simple. Ces faisans sont venus attendre ici la fin de la chasse parce qu'ils savaient qu'en restant dans vos bois ils étaient voués à une mort certaine.

— Foutaises ! hurla M. Hazell.

— Ce ne sont pas des foutaises, dit mon père. Les faisans sont des animaux extrêmement intelligents, n'est-ce pas, docteur ?

— Ils sont effectivement d'une intelligence remarquable, dit le docteur Spencer. Ils comprennent très bien la situation.

— Ce serait sans doute, dit mon père, un grand honneur d'être abattu par le chef de la police du comté et un honneur plus grand encore d'être mangé ensuite par Lord Thistlethwaite, mais je crois que les faisans ont du mal à s'y résoudre.

— Vous êtes des fripouilles ! hurla M. Hazell. Vous êtes tous deux des fripouilles de la pire espèce !

— Allons, allons, intervint le brigadier Samways. Les injures ne nous mèneront nulle part et elles ne feront qu'aggraver les choses. J'ai une proposition à vous soumettre, messieurs. Je suggère que nous joignions nos efforts pour faire traverser la route aux faisans et les renvoyer ainsi sur les terres de M. Hazell. Qu'en pensez-vous, monsieur Hazell ?

— Ce sera toujours un pas dans la bonne direction, répondit celui-ci. C'est d'accord.

— Et toi, William, qu'en dis-tu? demanda le brigadier à mon père.

— Je pense que c'est une excellente idée, répondit celui-ci en adressant au brigadier un de ces drôles de regards dont il avait le secret. Danny et moi nous serons très heureux de vous aider de notre mieux. »

Que mijotait-il encore? Je me le demandais, car lorsqu'il regardait quelqu'un de cette façon, cela signifiait que quelque chose de rigolo se préparait. Je remarquai comme une étincelle dans les yeux, d'habitude plutôt ternes, du brigadier Samways.

« Allons-y, les gars! s'écria le brigadier. Repoussons ces paresseux de l'autre côté de la route! »

Joignant le geste à la parole, il se mit à arpenter la piste en faisant de grands moulinets avec les bras et en criant pour effaroucher les faisans.

« Chch! Ouste! Allons, déguerpissez! Fichez-moi le camp! »

Mon père et moi nous imitâmes aussitôt l'étrange comportement du brigadier et, pour la seconde fois de la matinée, des nuages de faisans prirent leur essor à grand renfort de battements d'ailes. Je m'aperçus alors que pour traverser la route, les faisans devraient survoler la Rolls-Royce de M. Hazell, laquelle leur barrait proprement le chemin. Les oiseaux, qui pour la plupart étaient trop abrutis encore pour accomplir un tel vol, se mirent à retomber sur l'automobile grise. En un instant, le toit et le capot furent couverts d'oiseaux qui glissaient et dérapaient en essayant de s'assurer une prise sur cette surface impeccablement lustrée. J'entendais leurs ongles pointus crisser sur la peinture, qu'ils rayaient en luttant pour conserver leur équilibre, et déjà ils commençaient à la couvrir de fiente.

« Faites-les descendre ! hurla M. Hazell. Chassez-les de là !

— Ne vous affolez pas, monsieur Hazell, cria le brigadier Samways. Nous allons nous en occuper. Allons-y, les gars ! Pas d'affolement. Faites-leur traverser la route !

— Pas par-dessus ma voiture, espèce d'idiot ! beugla M. Hazell en trépignant de rage. Chassez-les de l'autre côté !

— Entendu, monsieur, entendu ! » répondit le brigadier Samways.

En moins d'une minute, la Rolls fut complètement recouverte de faisans, lesquels, non contents de rayer la peinture argentée, ternissaient encore son éclat de leur fiente liquide et dégoûtante. Qui plus est, j'en vis une douzaine au moins s'enfiler dans la voiture par la porte que M. Hazell avait négligé de refermer. Je ne sais pas dans quelle mesure le brigadier Samways ne les avait pas dirigés exprès vers cette porte, mais toujours est-il que cela se passa très vite et que M. Hazell ne s'aperçut de rien.

« Faites descendre ces oiseaux, beuglait-il. Vous ne voyez pas qu'ils sont en train d'abîmer ma peinture, espèce de tordu !

— Votre peinture ? demanda le brigadier Samways. Quelle peinture ? »

Il arrêta de pourchasser les faisans et se planta devant M. Hazell en dodelinant tristement de la tête.

« Nous avons fait de notre mieux pour encourager

ces oiseaux à traverser la route, mais ils ne veulent rien savoir, dit-il.

— Ma voiture, sombre idiot ! hurla M. Hazell. Chassez-les de ma voiture !

— Ah ! oui, votre voiture, répondit le brigadier. Je vois ce que vous voulez dire. Ce sont des oiseaux vraiment dégoûtants, ces faisans ! Vous devriez peut-être monter en voiture et démarrer à toute vitesse. Il faudra bien qu'ils descendent alors, n'est-ce pas ? »

M. Hazell, qui paraissait très heureux d'avoir enfin un prétexte pour fausser compagnie à cette réunion de fous, se précipita vers la porte de la Rolls et bondit littéralement derrière le volant. Dès qu'il fut installé, le brigadier claqua la porte et un tumulte infernal s'éleva soudain dans la voiture, où une bonne douzaine d'énormes faisans se mirent à pousser des cris rauques, à battre des ailes et à s'agiter dans tous les sens sur les sièges et autour de la tête de M. Hazell.

« Démarrez, monsieur Hazell ! cria le brigadier Samways de sa plus grosse voix. Vite, vite, vite ! Éloignez-vous vite ! Faites comme si ces faisans n'étaient pas là, monsieur Hazell, mettez toute la gomme ! »

M. Hazell n'avait pas tellement le choix. Il lui fallait fuir sur-le-champ. Il démarra et la grosse Rolls partit en trombe en soulevant des nuages de faisans.

Il se passa alors quelque chose d'extraordinaire. Les faisans qui s'étaient envolés de la voiture *restèrent en l'air*. Ils ne redescendirent pas se poser un peu n'importe comment, comme tout le monde s'y était attendu. Ils continuèrent à voler. Ils survolèrent la station, la roulotte, le champ où étaient nos cabinets, l'autre champ derrière et enfin la crête de la colline, derrière laquelle ils disparurent.

« Grands dieux ! s'écria le docteur Spencer. Regardez-moi ça ! Ils ont récupéré ! Les effets du somnifère se sont enfin dissipés complètement ! »

Les faisans posés un peu partout autour de nous se réveillaient progressivement eux aussi. Ils se dressaient sur leurs pattes, s'ébrouaient et tournaient la tête de droite et de gauche avec de petits mouvements brusques. Un ou deux d'entre eux prirent leur élan en courant. Les autres ne tardèrent guère à les imiter et bientôt ils s'envolèrent tous pour disparaître après avoir survolé la station.

Bientôt, il n'en resta plus un seul autour de nous. Le plus intéressant c'est qu'aucun d'entre eux n'avait franchi la route pour regagner Hazell's Wood, où les chasseurs les attendaient. Tous, sans exception, étaient partis dans la direction opposée !

La surprise
du docteur
Spencer

Sur la route, il y avait une file de voitures et de camions garés à touche-touche tandis qu'ici et là des gens discutaient par petits groupes du spectacle extraordinaire dont ils venaient d'être gratifiés.

«Circulez, voyons! leur enjoignit le brigadier Samways en marchant sur eux. Circulez! Ne restez pas là! Je ne puis tolérer cette situation! Vous entravez la circulation sur la route!»

On ne refusait pas d'obtempérer aux injonctions du brigadier Samways et bientôt chacun regagna son véhicule. Quelques minutes plus tard, les gens aussi s'étaient envolés. Il ne restait plus que nous quatre — le docteur Spencer, le brigadier Samways, mon père et moi.

«Eh bien, William! dit le brigadier en nous rejoignant près des pompes. De ma vie entière, je n'ai jamais rien vu de plus surprenant que ce rassemblement de faisans!

— On peut dire que c'était bien beau à voir, dit le docteur Spencer. Ça t'a plu, Danny ?

— C'était fantastique, dis-je.

— Dommage que nous les ayons perdus, dit mon père. Ça m'a fendu le cœur quand je les ai vus s'envoler de ce landau. J'ai tout de suite compris qu'il fallait faire une croix dessus.

— Mais, par tous les saints du paradis, comment as-tu fait pour les prendre ? demanda le brigadier. Comment t'y es-tu pris, William ? Allons, mon vieux, mets-moi dans le coup. »

Mon père lui confia notre secret. Il résuma toute l'opération, mais elle ne perdit rien de sa beauté. Tout au long de l'histoire, le brigadier répéta : «Eh bien, ça alors ! Que le diable m'emporte ! C'est renversant ! C'est plus fort que de jouer au bouchon !», et ainsi de suite. A la fin de l'histoire, il pointa son long doigt de policier en plein sur mon visage et s'écria :

«Jamais je n'aurais cru un gamin de ton âge capable d'un pareil trait de génie ! Bravo, jeune homme !

— Vous verrez, il ira loin, ce petit Danny, c'est moi qui vous le dis ! prophétisa le docteur Spencer. Un jour, il sera un grand inventeur. »

De pareils compliments dans la bouche des deux hommes que j'admirais le plus au monde, après mon père, me firent rougir et bafouiller. Je me demandais ce que je pouvais bien leur répondre, quand derrière moi une voix de femme s'écria :

«Ouf ! grâce au Ciel, cette histoire est enfin terminée ! »

C'était, cela va sans dire, Mme Clipstone, qui

descendait avec précaution l'escalier de la roulotte, le petit Christopher dans les bras.

« Jamais je n'avais assisté à une pareille curée ! » dit-elle.

Elle portait toujours son petit chapeau perché au sommet de la tête et ses gants blancs.

« Le beau rassemblement de gredins et de canailles que voilà ! Bonjour, Enoch.

— Bien le bonjour, madame Clipstone, répondit le brigadier Samways.

— Comment va le petit ? lui demanda mon père.

— Mieux, merci, William, répondit-elle. Mais je doute qu'il s'en remette jamais complètement.

— Bien sûr qu'il s'en remettra, affirma le docteur Spencer. Les bébés ont la peau dure.

— Je me fiche qu'ils aient la peau dure ! répliqua sèchement Mme Clipstone. Ça vous plairait à vous de partir pour une belle promenade en landau par une matinée d'automne et de vous faire soudain ballotter par votre matelas comme par une mer déchaînée ? Surtout si en plus une centaine de becs retors et pointus surgissaient du matelas pour vous déchirer ! »

Le docteur pencha la tête d'un côté et de l'autre, puis il sourit à Mme Clipstone.

« Ah ! parce que, en plus, vous trouvez ça drôle ? s'écria celle-ci. Attendez un peu, docteur Spencer. Une de ces nuits, j'irai vous glisser des serpents, des crocodiles et d'autres bêtes du même genre sous le lit. Ce jour-là nous verrons si vous rirez toujours ! »

Le brigadier s'écarta du groupe pour récupérer sa bicyclette, qui était appuyée contre l'une des pompes.

« Bon, il faut que je parte, dit-il. On a sans doute besoin de moi ici ou là.

— Je suis désolé de t'avoir occasionné ce dérangement, Enoch, dit mon père. Et merci beaucoup pour ton aide.

— Je n'aurais pas voulu manquer ça pour tout l'or du monde, dit le brigadier Samways. Ça m'a pourtant fait bougrement mal au cœur de voir tous ces faisans nous filer comme ça entre les doigts, William. A mon avis, rien sur cette terre ne vaut le faisan rôti.

— Le pasteur aura encore plus de peine que vous, dit Mme Clipstone. A peine sorti du lit ce matin, il commençait déjà à parler du faisan rôti qu'il mangerait ce soir.

— Il se fera une raison, affirma le docteur Spencer.

— Il n'y a pas de raison qui tienne ! répliqua Mme Clipstone. C'est une véritable catastrophe, car tout ce qu'il me reste, ce sont d'horribles filets de cabillaud congelés.

— Mais, dit mon père, vous n'aviez pas mis tous les faisans dans la voiture, n'est-ce pas ? Le révérend et vous étiez censés en conserver une douzaine au moins !

— Oh ! je le sais bien, gémit Mme Clipstone. Mais j'étais tellement émoustillée à l'idée de traverser le village en promenant Christopher assis sur cent vingt faisans que j'ai complètement oublié d'en mettre de côté pour nous. Et maintenant, ils sont tous envolés et avec eux le dîner du révérend, hélas ! »

Le docteur alla prendre Mme Clipstone par le bras et lui dit :

« Venez avec moi, Grace. J'ai quelque chose à vous montrer. »

Il l'entraîna dans l'atelier de mon père, dont les portes étaient grandes ouvertes.

Le brigadier, mon père et moi, nous attendîmes où nous étions.

« Bonté divine ! Venez voir ça ! s'écria soudain Mme Clipstone. William ! Enoch ! Danny ! Venez voir ! »

Nous nous précipitâmes dans l'atelier.

Un spectacle merveilleux nous attendait.

Six superbes faisans, trois coqs et trois poules, gisaient sur l'établi de mon père parmi les chiffons pleins de graisse, les clefs à molette et les autres outils.

« Et voilà, madame et messieurs, dit le docteur, dont la petite figure ridée resplendissait de joie. Que dites-vous de ça ? »

Nous restâmes tous sans voix.

« Grace, il y en a deux pour vous afin que le révérend reste de bonne humeur, dit le docteur. Il y en a également deux pour Enoch en remerciement pour son précieux coup de main de tout à l'heure. Quant aux deux derniers, ils reviennent naturellement à William et Danny, qui les méritent plus que quiconque.

— Et vous, docteur ? demanda mon père. Il n'en reste pas pour vous.

— Ma femme a bien assez de travail comme ça pour passer des journées à plumer des faisans, dit-il. Quoi qu'il en soit, c'est bien Danny et toi qui êtes allés les chercher dans les bois, n'est-ce pas ?

— Mais comment diable avez-vous pris ces six faisans ? demanda mon père. A quel moment les avez-vous escamotés ?

— A vrai dire, je n'ai pas eu à les escamoter, répondit le docteur. J'ai plutôt eu comme une intuition.

— Comment ça, une intuition ? demanda mon père.

— Je me suis dit que certains faisans avaient sans doute avalé plus de grains de raisin que d'autres. J'ai pensé que les plus rapides d'entre eux avaient dû avoir le temps d'en avaler jusqu'à une demi-douzaine et que cette dose massive de somnifère les avait endormis une fois pour toutes.

— Ah ! ah ! nous exclamâmes-nous tous en chœur. Mais oui ! Mais oui !

— Alors, pendant que vous rabattiez tous les faisans sur la Rolls-Royce de ce cher M. Hazell, je me suis éclipsé et je suis venu ici jeter un petit coup d'œil sous le drap du landau. Et voici ce que j'ai trouvé.

— Pro-di-gieux ! s'exclama le brigadier Samways. Absolument prodigieux !

— C'étaient les plus gloutons, dit le docteur. La gloutonnerie ça ne pardonne pas.

— C'est merveilleux ! dit mon père. Bien joué, maître !

— A présent, allons-y, Grace, dit le docteur. Je vais vous ramener chez vous en voiture. Vous laisserez ce fichu landau ici. Quant à vous, Enoch, nous emportons vos faisans et nous les déposerons chez vous en passant. Il ne faudrait pas que le représentant de la loi traverse le village avec une paire de faisans pendus au guidon de sa bicyclette, n'est-ce pas ?

— Je vous suis sincèrement reconnaissant, docteur, dit le brigadier. Très sincèrement.

— Que vous êtes adorable ! » s'exclama Mme Clipstone en prenant le petit docteur dans ses bras et en déposant un baiser sur sa joue.

Mon père et moi chargeâmes quatre faisans dans la voiture du docteur. Mme Clipstone s'installa à l'avant avec son enfant pendant que le docteur se mettait au volant.

« Ne t'en fais pas, William, lança-t-il en démarrant. Tu as tout de même remporté une fameuse victoire ! »

Le brigadier enfourcha sa bicyclette et, après nous avoir fait au revoir de la main, il partit en pédalant dans la direction du village. Il pédalait lentement et avec une majesté indiscutable. Tête haute et le dos bien droit, il donnait l'impression de monter une belle jument pur-sang au lieu d'une vieille bécane noire.

Mon père

Tout était fini à présent. Mon père et moi restions seuls devant l'atelier et notre station nous semblait brusquement bien calme.

« Eh bien, Danny, dit mon père en me regardant de ses yeux pétillants de malice, la fête est finie.

— Elle était drôlement réussie, papa.

— Pour sûr.

— Je me suis vraiment bien amusé.

— Et moi donc, Danny. »

Il mit la main sur mon épaule et nous nous dirigeâmes lentement vers la roulotte.

« On pourrait peut-être verrouiller les pompes et se mettre en congé pour le reste de la journée, suggéra-t-il.

— Tu veux dire, fermer complètement la station ?

— Et pourquoi pas ? Après tout, c'est samedi aujourd'hui.

— Mais nous ne fermons jamais le samedi, pas plus que le dimanche d'ailleurs.

— Il serait peut-être temps qu'on s'y mette, dit-il. On pourrait faire autre chose ces jours-là. Des choses plus intéressantes. »

J'attendis la suite en me demandant ce qu'il avait derrière la tête.

Lorsque nous arrivâmes à la roulotte, il gravit l'escalier et s'assit sur l'étroite plate-forme de bois, sa jambe en plâtre et l'autre pendant dans le vide. Je montai à mon tour sur la plate-forme et m'assis, les pieds posés sur les dernières marches de l'escalier.

C'était un chouette endroit, cette plate-forme. Quand il faisait beau, c'était le coin le plus paisible et le plus agréable pour s'asseoir et passer le temps à discuter de choses et d'autres. Les gens qui vivent dans des maisons ont des vérandas ou des terrasses avec de grandes chaises pour s'étendre, mais je n'aurais pas échangé notre plate-forme en bois contre tout leur confort.

« Je connais un petit bois de mélèzes, commença mon père, à cinq kilomètres d'ici, de l'autre côté de la colline des Cordonniers. C'est un endroit très calme et il y coule un ruisseau.

— Un ruisseau ? » dis-je.

Il hocha la tête et m'adressa un de ces clins d'œil malicieux dont il avait le secret.

« Il est plein de truites, dit-il.

— Chouette ! m'écriai-je. Est-ce qu'on va y aller, papa ?

— Pourquoi pas ? répondit-il. On pourra essayer de les chatouiller à la manière du docteur Spencer.

— Tu m'apprendras, dis ? demandai-je.

— Je ne m'y connais pas tellement en truites, dit-il. Ma spécialité à moi, c'est plutôt les faisans. Mais on peut toujours apprendre.

— Pourquoi est-ce qu'on n'irait pas tout de suite ? demandai-je, à nouveau gagné par l'enthousiasme.

— Nous pourrions peut-être commencer par faire un saut au village pour acheter le four électrique, dit-il. Tu n'as pas oublié le four, n'est-ce pas ?

— Mais, papa, le four c'était bon quand on croyait avoir plein de faisans à rôtir.

— Nous avons toujours les deux que nous a donnés le docteur Spencer. Et avec un peu de chance, nous en aurons beaucoup d'autres dans les semaines à venir. De toute façon, il est grand temps que nous ayons un four. Nous pourrons faire rôtir tout un tas de choses au lieu d'avoir à nous contenter de réchauffer des haricots dans une casserole. Nous pourrons faire du porc rôti un jour et un gigot de mouton ou un rôti de bœuf un autre jour. Qu'en dis-tu ?

— Je suis d'accord, bien sûr. Mais dis-moi, papa, est-ce qu'on pourra faire aussi ton plat favori ?

— Quoi donc ?

— Le pâté en croûte à la mode du Yorkshire, dis-je.

— Mais bien sûr ! s'exclama-t-il. C'est même la première chose que nous ferons cuire dans notre four ! Un pâté en croûte avec des saucisses ! Je le préparerai dans un moule énorme, comme celui que ma mère utilisait. Et la pâte sera cuite à point et croustillante. Elle fera comme des montagnes, au creux desquelles on apercevra les saucisses.

— Est-ce qu'on l'aura dès aujourd'hui, papa ? Est-ce qu'ils le livreront tout de suite ?

— Peut-être, Danny. Nous verrons.

— Pourquoi est-ce qu'on ne le commande pas tout de suite par téléphone ?

— On ne doit jamais faire ça, dit mon père. Il faut aller personnellement voir M. Wheeler et étudier soigneusement tous les modèles.

— Très bien, dis-je. Allons-y. »

J'étais sous pression et je n'avais plus qu'une chose en tête : aller acheter ce four qui nous permettrait de préparer des pâtés en croûte, des rôtis de porc et tout le reste. Je ne pouvais plus attendre.

Mon père se leva.

« Et quand nous aurons réglé cette affaire, dit-il, nous irons au ruisseau essayer d'attraper une grosse truite arc-en-ciel. Nous emporterons quelques sandwiches et nous déjeunerons au bord de l'eau. Avec ça, la journée sera bien remplie. »

Quelques minutes plus tard, nous partîmes vers le village sur cette route que nous connaissions si bien. Le pied ferré de mon père cliquetait sur l'asphalte dur et au-dessus de nos têtes de gros nuages noirs descendaient lentement la vallée.

« Papa, dis-je.

— Oui, mon chéri ?

— Est-ce qu'on ne pourrait pas inviter le docteur Spencer et sa femme à dîner le jour où nous ferons rôtir les faisans dans notre four ?

— Bonté divine ! s'exclama-t-il. Quelle merveilleuse attention ! Quelle bonne idée ! Nous offrirons un dîner en leur honneur.

— L'ennui c'est que je me demande si nous tiendrons tous les quatre dans la roulotte, dis-je.

— Ça sera juste, mais je crois que ça ira, dit-il.

— Mais nous n'avons que deux chaises.

— Pas d'importance, dit-il. Nous deux, on s'assoira sur des boîtes. »

Après un court silence, il reprit :

« Par contre, il nous faudra absolument une nappe. Nous ne pouvons pas faire manger le docteur et Mme Spencer sur une table sans nappe.

— Mais nous n'avons pas de nappe, papa.

— Ne t'en fais pas pour ça, dit-il. Nous prendrons un drap sur une des couchettes. Après tout, une nappe ce n'est rien d'autre qu'une sorte de drap.

— Et pour les couverts ? demandai-je.

— Nous en avons combien ?

— Nous n'avons que deux couteaux et deux fourchettes, c'est tout. Et les couteaux sont un peu ébréchés.

— Dans ce cas, nous achèterons deux couteaux et deux fourchettes supplémentaires, dit mon père. Nous les laisserons à nos invités et nous garderons les vieux.

— D'accord, dis-je. C'est épatant. »

Je glissai ma main dans la sienne. Il replia ses longs doigts sur mon poing et le garda serré au creux de sa propre main tandis que nous marchions vers le village, où nous allions bientôt étudier soigneusement les différents modèles de fours et en discuter personnellement avec M. Wheeler.

Et après ça, nous allions rentrer chez nous à pied et préparer des sandwiches pour le déjeuner.

Et après ça, nous allions escalader, sandwiches en poche, la colline des Cordonniers pour aller jusqu'au petit bois de mélèzes avec son ruisseau.

Et après ça ?

*Personne n'a jamais eu de père
plus merveilleux et plus épatant que le mien.*

Une grosse truite arc-en-ciel peut-être.

Et après ça?

Après, il y aurait encore autre chose.

Et après ça?

Autre chose encore, bien sûr.

Car ce que j'essaie de vous dire...

Ce que j'ai essayé si fort de vous dire tout au long de cette histoire, c'est tout simplement que personne à coup sûr n'a jamais eu de père plus merveilleux et plus épatant que le mien.

MESSAGE AUX ENFANTS
QUI ONT LU CE LIVRE

Quand vous serez grands
et qu'à votre tour vous aurez des enfants,
n'oubliez surtout pas cette chose capitale :

ce n'est pas *du tout* rigolo
d'avoir des parents trop sérieux.

Ce que les enfants veulent
— ce qu'ils méritent —
ce sont des parents pleins de vie.

Table des matières

Composition réalisée par COMPOFAC - PARIS

IMPRIMÉ EN FRANCE PAR BRODARD ET TAUPIN
Usine de La Flèche, 72200.
Dépôt légal Imp : 4762A-5 – Edit : 8817.
32-10-0411-12-2 – ISBN : 2-01-014769-3.
Loi *nº 49-956 du 16 juillet 1949 sur les publications destinées à la jeunesse.*
Dépôt : juillet 1992.